SHODENSHA
SHINSHO

自己家畜化する日本人

池田清彦

祥伝社新書

はじめに

他の動物を飼いならすことで人類は繁栄した

地球上に存在したありとあらゆる生物のなかで、私たち人間ほど繁栄を遂げた種はいない。野生動物と違って人間は言語を操り、高度な文明を発展させて、今やこの地上の支配者となった。

多くの人は無邪気にそう思い込んでいるかもしれない。

だが、人間が「強者」になりえたのは、単に賢かったり、道具を使ったりしたからだけではない。人間に従順に飼いならされる家畜のように、自らを「家畜化」させてきたことによってこれほどまでの繁栄を遂げたのである。

人類が最初に家畜化した動物はイヌだといわれている。狩猟採集民だった人類が野生のオオカミを飼いならすようになり、「飼い主」と「家畜」という関係の原型が生まれていった。飼い主である人間に、より従順になるように進化を遂げたのが、現在のイヌである。

その後、農耕牧畜生活が始まると、ヒツジやヤギ、ウシやブタなどの動物が次々と人類によって家畜化されていった。動物を家畜化することによって、人類は自らの生存確率を上げ、より豊かな生活を手に入れられるようになったのだ。

ヒトはどんな動物よりも「家畜化」された種である

ところが、18世紀末、「人間は他のどんな動物よりも、はるかに家畜化された種である」と提唱する学者が現れた。ドイツの人類学者であるヨハン・フリードリヒ・ブルーメンバッハだ。ブルーメンバッハは、人間は超越的な「飼い主（主人）」ではなく、それどころか自らを家畜化（＝自己家畜化）させてきたことで今日の繁栄を築いたと主張し、学界に議論を巻き起こした。

農場の動物と同様に、人間も家畜化された種であるというブルーメンバッハの主張は、宗教の影響力が今よりもずっと強大な当時の社会では到底受け入れがたいものであった。その後、19世紀半ばに『種の起源』で進化論を発表したチャールズ・ダーウィンもまた、人間の家畜化を検討している。

20世紀になると「ヒトの自己家畜化」という概念は、人類学の枠を超えて、生物学、社会学、心理学などの学問分野へと広がっていく。

横断的な研究が進むにつれて、人間の手によって長い時間をかけて家畜化された動物には、見た目においても性質においても、ある一定の共通する変化が見られることがわかった。一方で、そうした家畜動物がたどってきた進化と同じような過程を、じつは私たち人間もたどってきていることもわかってきた。

そうさせた「飼い主」は誰か？　そう、他ならぬ人間自身である。

日本人の過剰な自己家畜化

本書では「ヒトの自己家畜化」というキーワードを軸に、自己家畜化とはどのような概念かを解説し、現代を生きる私たち日本人の自己家畜化について考察していきたい。

なぜ日本人と自己家畜化を結びつけるかというと、あらゆる民族のなかで、自己家畜化が悪い意味で最も極まっているのが他ならぬ現代日本人であると個人的に感じているからだ。

家畜になるということは、すなわち飼い主に従順に生きるということである。現代社会において「飼い主」は、「システム」「権力」とも言い換えてもいいだろう。自己家畜化とは、生き延びるための環境への適応である。そして現代人が強大なシステムのなかで生き延びるためには、攻撃性を抑えて従順になり、思考を放棄するのが最も確実な手段なのであろう。

日本は海によって他国と隔てられた島国である。

詳しくは本編で述べていくが、それゆえに歴史的・文化的背景を踏まえても、国民の自己家畜化が過剰に進みやすい環境条件が揃っている。

一度決まったルールや決定が覆（くつがえ）りづらいのも、自民党政権がずっと変わらないのも、他国と比べてデモやストライキが起きないのも、モラルや規範にやたらと厳格でも、他人の足を引っ張って悦に入ってしまうのも、すべて日本人の自己家畜化と関係するものだと私は考えている。

こうした潮流は国全体の未来を考えれば、決して望ましいとはいえない。

このまま自己家畜化が進んだ先の未来には、なにが待ち受けているのか。

深刻化する「精神の自己家畜化」から、私たち日本人はどうすれば脱け出すことができるのか。

日本人の自己家畜化の歴史をたどりながら、一緒に考えていきたい。

2023年9月　池田清彦

目次——自己家畜化する日本人

第1章 「自己家畜化」の進化史

前／動物愛護の考え方が与えた影響とは／家畜のすべてを資源に変えるモンゴル／動物愛護ムーヴメントが先鋭化しやすい欧米／動物愛護から生まれたヴィーガン思想／スーパーの肉は加工された動物である／家畜殺しをタブー視した社会が行き着いたコンビニ／なぜ今あらためて自己家畜化を警告するのか／なぜ日本人の幼児化が進行しているのか／現行のシステムが崩壊した時に日本は属国になりうる

第3章 日本人と自己家畜化

日本人は主人を称賛する奴隷になりつつある／今の日本は危うい状態にある／一神教が根付かなかった国、日本／今なお残る「一寸の虫にも五分の魂」思想／アジア諸国で一神教徒が多い国は？／無宗教者が大半を占める国は珍らしい／群れは社会になり、精神的孤独が生まれる／神がいなければ現世の権力者に従うしかない／自己家畜化から免れた江戸の里山／江戸時代の農村社会はエコシステム内で完結できた／自給自足が可能だった小規模コミュニティ／里山から流れた男たちが江戸へ向かった／楽にはなりきれない日本の農業事情「お天道様」の目は怖いか？／神の目はないが「世間」の目はある／同じ「天」でも中国とは事情が異なる／天皇の神性を勘違いしたマッカーサー／恨みが薄れやすい国民性／一度決めたことを覆せないから悲劇が起きる／「とりあえず生きられたらいい」お上に弱い日本人の性質／新たな主人とエコノミックアニマル化／「みんな」至上主義／社畜＝現代版の家畜／SNSを誹謗中傷の手段にする人たち／「みんなで家畜になればいい」という暗い情熱／YouTuberは主人が喜ぶ芸をするイヌ／国全体が低俗なバラエティ番組と化している／国というまとまりが崩壊する未来がやってくる可能性

第4章 自己家畜化の行き着く先

自己家畜化が進んだ未来で待ち受けるもの／コロナ禍がもたらしたプラス面に目を向ける／ハイブリッドな働き方が社畜を駆逐していく／「やりたいことが見つからない」のは飼いならされた弊害／自己家畜化に貢献する日本の公教育／日本の学校はギフテッドには息苦しい／才能は学校内では阻害されるが、外では歓迎される矛盾／人は得意な道で伸びればよいのだ／移動できるメリットをフルに活かして能動的に適応せよ／転職は最も身近な移動の手段／格付けランキングがいつまでも覆らない国／適度なストレスはむしろあったほうがいい／どこへ移動してもストレスはゼロにはならない／老人ホームは自己家畜化の究極形である／ベーシック・インカムとMMT／働かなくていい未来が来たら人間はどうなるのか／ChatGPTは自己家畜化を後押しするのか？／AIがどれだけ進歩しても「データに基づく計算装置」の枠から出ない／盤上のゲームは得意でも後出しルールには弱いAI／AIと芸術は相性がいいか／どこまで行っても寿命予測は不可能／政府が率先して日本国民を奴隷化している／なぜ政府は最低賃金の引き上げを渋るのか／ポリコレと承認欲求／「障害」を「障がい」と表記する無意味さに価値を見出すな／魚や虫の名前を狩ってどうする／言葉の多様性がない社会は息苦しい／抑圧されている人間ほどバッシングする対象を欲しがる／逆らっても勝てないとわかれば親中派は今後増える／南海トラフ巨大地震が起きた時、日本は変わるのか／広大すぎる多民族国家・中国／州ごとに法律が異なるアメリカ／独立心と多様性の欠如が日本の致命傷になる／ゲノム編集で国民を家畜化できるディストピア／個人の努力で自己家畜化を止められるのか／与えられる娯楽には注意せよ／才能も得意もないと思い込んでいるのであれば／運が悪いと思い込むと嫉妬が生まれる／政治を注視し、システムを変える行動を起こす／個人、メディア、システムを変えていくために／日本の国力の凋落が止まらない本当の理由

構成　阿部花恵
本文ＤＴＰ　アルファヴィル・デザイン

第1章

「自己家畜化」の進化史

「自己家畜化」とはなにか

18世紀末にブルーメンバッハによって指摘された人間の「自己家畜化（self domestication）」という概念は、1937年にドイツの人類学者であるE・フォン・アイクシュテットが唱えた仮説によって再び注目される。彼は、家畜動物とヒトに似通った傾向の進化が見られる現象に着目して、人類の進化を説明した。

日本でも1970年代には文化人類学や遺伝学の領域で「自己家畜化」の概念が広く知られるようになった。

「自己家畜化」というキーワードを軸に社会を考察していくと、現代人、とりわけ私たち日本人がなぜここまで愚かしくも従順に成り下がり、自分の頭で物事を考えなくなったかがよく見えてくる。

第1章ではそのための入り口として、まずは生物学における「家畜化」、そして「自己家畜化」とはなにかを解き明かしていこう。

ウシやブタは人間によって家畜化された

そもそも人類はなぜ、野生動物を家畜として飼育してきたのか。

もちろん自分たちが利用するためである。

ウシやブタ、ヒツジなどの動物は、自ら望んで家畜として生きることを選んだわけではない。人間によって長い時間をかけて「家畜化」されたことで現在の品種になったのだ。

人類の繁栄は動物抜きでは成り立たない。

人類は長い歴史のなかで他の動物の肉を食べ、乳を飲んできた。その毛皮で服を作り、さらには田畑を耕したり、荷物を運搬したりする労力として、動物を家畜化し、自分たちの暮らしのためにフルに活用してきた。

では、「自己家畜化」とはなにか。

野生動物のなかには、自ら進んで人類の居住場所に入り込み、人間と共生する道を選ぶことによって生き延びる確率を上げた種がいる。

最も身近にしてわかりやすい例がイヌとネコだ。

イヌとネコは、もともとは野生動物だった種が、多少なりとも「自己家畜化」した結果として今の形に進化した。

自己家畜化とは、強制的に家畜化を促されるのではなく、自主的に自分たちが人類になついてきたプロセスを指す。家畜化の始まりにあたっては、自己家畜化と呼べるプロセスが存在したことは間違いない。

多くの生き物が淘汰(とうた)されていった歴史のなかで、ヒトが生き延び、繁栄し、現在のヒトに進化した背景にも、自己家畜化が大きく関係している。

自己家畜化という概念を理解していく上では、動物を起点に考えるとわかりやすいだろう。まずは、私たちに最も身近な動物でもあるイヌとネコが、どのように「自己家畜化」の道のりをたどってきたのかを見てみよう。

狩猟採集民が肉をあえて食べ残していた理由

ヒトによって家畜化された動物のなかで、最も古い歴史を持つのがイヌだ。

現行の動物分類学では、DNA分析の結果としてイヌはオオカミ(別名タイリクオオカミ、あるいはハイイロオオカミ *Canis lupus*）と同一種だと考えられている。一応、「*Canis lupus familiaris*」との亜種名が与えられているが、亜種を決定する厳密な同一性は存在しないので、便宜的なものだと考えてよい。

さて、人類が狩猟採集生活を行なっていた時代、イヌの祖先であるオオカミは、人間の食べ残した肉を漁りに人間の居住地の周辺に出現していたようだ。今から約２万９０００～１万４０００年前、最終氷期の終わり頃だ。

「今のように食べ物に恵まれていたわけでもない先史時代の人類が、食べ残しなんてもったいないことをするのか？」と疑問を抱く読者もいるかもしれない。

結論からいうと、人体の構造上、そうせざるを得なかったのである。

狩猟採集生活を送っていた人類にとって、植物が育たない寒い時期は飢餓、すなわち死のリスクが格段に高まる。そうなると、野生のシカやイノシシ、ウサギなどを狩って獣の肉で腹を満たすしかない。

ところが、人間の体は肉（＝タンパク質）を過剰摂取する食生活を続けると、中毒症状を引き起こして具合が悪くなる仕組みになっているのである。具体的には、高アンモニア血症、高アミノ酸血症などの不具合を起こし、最悪の場合は死に至ることもある。

これはタンパク質中毒（別名ウサギ飢餓）と呼ばれる症状であり、一般に人間はタンパク質が総摂取カロリーの約35パーセントを超えると、タンパク質中毒を引き起こすといわれている。

ちなみに、現代人にとって大敵と思われている脂肪は、じつはたくさん食べてもさほど体調を崩さない。狩猟採集生活を送っていた頃の人類は、経験的にそのことを知っていたのだろう。タンパク質と脂が混ざっているところを好んで食べ、タンパク質だけの赤身肉は住居の周りに放っておいたようだ。

人類のゴミに目をつけたオオカミ

この食べ残しの赤身肉に目をつけたのが、イヌの祖先であるオオカミだ。

オオカミは人間とは異なる代謝メカニズムを持っており、体重あたりのタンパク質摂取量はヒトの約4倍必要だといわれている。要するに、タンパク質をたくさん摂取してもまったく問題ないのだ。そんなオオカミにとって、人類が捨てた赤身肉は、労せずとも手に入る絶好のご馳走だったであろう。

どうやら自分で狩りをするよりも、人間の居住地の周りに落ちている肉を漁ったほうがはるかにコストパフォーマンスがいい。

この事実を学習したオオカミは、人類と共存するようになる。オオカミはもともとリーダーの下(もと)、群れで行動する性質を持っていたため、人間のこともリーダーとみなしたのかもしれない。

イヌと人類のＷｉｎ－Ｗｉｎな関係

やがて、人間のほうでも、従順なオオカミを選別して、優先的に食べ残しの肉を与えるような関係性が生まれたのだろう。鼻が利(き)くオオカミは、猟犬や番犬としての役目を果たしてくれる。他の獣を狩りに行く際に役立つ相棒として、住居の見張り番として、人間とオオカミのＷｉｎ－Ｗｉｎな関係が強化されていった。

こうしてオオカミは自己家畜化の道を歩み出し、長い年月をかけて体の形質（外に表れる形態と性質）を変え、今のイヌという品種に変化を遂げていったと考えられる。また、イヌがよきパートナーとなってくれたおかげで、人類は初めて獣に襲われる心配をすることなく、安心して眠れるようになったのかもしれない。

イヌはいまやあらゆる大陸に存在し、さまざまな犬種が生まれるまでに繁栄している。その一方で、祖先であるオオカミは世界各地で絶滅の危機にさらされている。家畜化がイヌとオオカミの運命の分岐点に関わっていたことは想像に難くない。

農耕と定住、ネズミとネコ

一方、ネコの自己家畜化は、イヌとは明らかに異なるプロセスをたどっている。採集と狩猟で食糧を調達していた長い時代を経て、人類は穀物を自分たちで生産する農耕生活へとシフトした。人類が農耕を始めたのは、今から約１万２０００年前だと考えられている。

年間を通じて土地を耕し、作物を育てる農耕は、必然的に定住生活をもたらすことになる。食糧が安定して手に入るようになれば、移動の必要性はなくなるからだ。

農耕によって安定した食糧生産が可能になった人類は、次に穀物がたくさん収穫できた時には貯蔵する術(すべ)を覚える。すると、穀物を狙ってネズミが穀物庫や住居に集まってくる。さらにそのネズミを追いかけて、ネコも人間の生活圏内に居着くようになった。これがネコの家畜化の起源として有力視されている。

イエネコは、ヨーロッパヤマネコの別亜種とされるリビアヤマネコ（*Felis silvestris lybica*）が家畜化したものだと考えられている。人間の住居の周りに居着くようになったのも、このリビアヤマネコだ。

人間がイヌを飼い慣らしたように野生のリビアヤマネコを飼いならしたわけではなく、ネコが自分からメリットを見込んで人間との共存を始めたと考えるのが妥当だろう。従って、ネコの家畜化の起源は、人類が農耕を始めてからあとの時代であると考えられる。

多様化したイヌ、変わらないネコ

人類とともに生きる道を選択した動物はイヌとネコだったが、両者には大きな違いがある。

人間と同じものを食べるようになったイヌは、肉食から雑食へと変わっていく過程で、外見が大きく変化していった。

鼻は平らになり、頑丈だった顎や歯は小さくなっていった。側頭筋や咬筋も退化した。生肉を噛みちぎるための力強い顎や歯は、人間の近くで暮らしていく上ではさほど必要ではなくなったからだ。顔は平坦になり、ピンと立っていた耳は垂れるようになった。

ひと言でいえば、オオカミが持っていた形質が脆弱になったのがイヌである。

肉食から雑食になったのは、人間の食べるものを食べるようになったということでもある。

たとえば、人間はでんぷんの消化を可能にする遺伝子をいくつも持っていて、消化能力が高いが、オオカミは糊化したデンプンを消化するAMY2B（Amylase Alpha 2B）という遺伝子を2コピー持っているだけで、消化能力は極めて低い。ところが、イヌはこの遺伝子のコピー数が増加するように進化して、犬種によっては50コピーもあり、消化能力が人間に近づいている。人間が与えてくれたものを消化できるようになったほうが、生き延びやすくなるからだ。このように見た目だけでなく、内臓機能もイヌはヒトに近づいてきている。

気性の荒いオオカミとして生きるよりも、ヒトに従順なイヌになったほうが生存確率が上がる。

家畜化されたあとのイヌは、人間の求める用途やその土地のニーズに合わせて品種改良されてきた。狩りに同行して獲物を捕まえるのを手伝い、農耕の盛んな地域では畑の見張り番をし、雪深い地域ではソリを引いて荷物を運搬するなど、あらゆる目的に応じてそれぞれ進化を遂げていった。

ネコよりもイヌのほうが、圧倒的に多様な種があるのはそのためである。ゴールデンレトリーバーとチワワが同じ種とは思えないほどに性質や体つきが異なるのは、こうした進化の歴史があるからだ。

対して、人間がネコの品種改良に乗り出したのは、せいぜいここ数百年のことだ。近代以降、愛玩用にたくさんの品種が作られるようになる前までは、ネコの品種改良はほとんど進んでいなかった。

品種改良も人間の生活に役立たせるための用途ではなく、ほとんどが愛玩用の目的であるからイヌのような多様性はない。ネコにチワワのような小型ネコもいなければ、ゴールデンレトリーバーのような大型ネコがいないのはそのためだ。

体の大きさのような外界の影響によって変わりやすい形質ですら、ネコはほとんど変化していないのである。せいぜい短毛種か長毛種かくらいのカテゴリーであり、顔や体の形や大きさを比較しても、イエネコと祖先であるリビアヤマネコの違いはさほどない。

食性も同様だ。人間の残り物にありついたイヌと違って、ネコは基本的にずっと自力で食糧を獲(と)ってきた。そのため、ネコの食性もまた、1万年前と現代を比較しても、面白いことにほとんど変わっていない。

そうしたネコ独自の進化の道筋に目を向けてみると、ネコはいまだに「人間の住居で暮らしている野生動物」と評するほうがふさわしいのかもしれない。

ある動物を人為選択で「家畜化」したソ連の大規模実験

では、人為選択によってある動物を意図的に「家畜化」することはできるのだろうか。

1959年、ソ連の遺伝子学者のドミトリ・ベリャーエフが中心となり、動物をゼロから家畜化するという大規模かつ長期にわたる実証実験が始まった。オオカミがイヌへと進化したように、人為的に野生動物を家畜化（ペット化）できるかという試みだ。

実験対象に選ばれたのは、野生のキツネだった。選定の理由は、家畜化のパイオニアともいえるイヌの近縁種であること、また人間と交わらずいまだ家畜化されていないことだった。

ベリャーエフとその教え子であるリュドミラ・トルートらは、人間に対する反応に基づいて、野生のキツネを2つの集団に分けた。人懐（ひとなつ）こい、もしくは怖がらない反応を見せたキツネの個体群と、そうでない個体群に選別して、人為的に選択交配を繰り返していく。

こうした実験を半世紀以上にわたって50世代ほどで続けた結果、なにが起きたのか。

人間に友好的な個体同士の交配を繰り返して生まれたキツネほど、人間を怖がらず、攻撃性も低く、従順なキツネになっていったのだ。なかにはイヌのように人間の指示に従い、尻尾を振り、芸のようなものをする個体も現れたという。

キツネのイヌ化が実証された結果、わかったこと

人間に友好的なキツネの個体は、性質だけでなく外見も明らかに変化した。

被毛の色が白いまだら模様になった他にも、耳は垂れ下がり、尾は巻き上がるようになった。頭骨が小さくなり、顎が退縮したことによって歯も小さくなっていった。

これはオオカミがイヌ化していった過程で生まれた特徴と、非常に似通っている。

さらに、これらの特徴は世代を重ねるにつれて、徐々に多くのキツネに表れるようになった。

繁殖期にも変化が起きた。通常の野生キツネは年に1回しか繁殖しないが、家畜化された友好的なキツネの繁殖期は年に2回程度に増えた。繁殖期が長くなった結果、キツネが一生の間に産む子の数も増えた。人間が管理することによって、家畜化というプロセスが加速したのである。

要するに、わずか60年ほどの実験によって、人為選択されたキツネはかわいい家畜と化したのだ。

自然条件に任せた場合は数千〜数万年かかる動物の形質変化が、条件さえ揃えばわずか60年という短期間で起こる、すなわち生物の形態や性質は驚くほどのスピードで変化しうる（家畜化する）ことがこの実験によって証明された。

「家畜」の4つの共通点

ここまでイヌ、ネコ、そしてキツネを例に「家畜化」という現象について述べてきたが、このあたりでいったんポイントをまとめよう。

野生動物から「家畜」に変化していく過程では、動物の種を問わずに次のような共通の特徴が見られることが明らかになっている。

1　形態が多様化して、変異の幅が大きくなる

野生動物は生息環境に余りにも不適応な形態であると生存できず、適応的な形態に収斂（しゅうれん）する。だが、飼育動物は餌を自分で獲る必要がなく、生息環境もコントロールされている。そのため、本来の生息環境には適応的でない形態に改変することができる。

イヌやネコにはさまざまな愛玩用の品種があるが、これらの品種は人間の庇護がなければ生きられない。

ヒトも例外ではない。火を使って調理をするようになったおかげで、軟らかな食べ物を噛むようになり、歯や顎骨が縮小した。これはまさしく「家畜」の特徴である。

2　繁殖期が変化する

家畜化に伴って、季節繁殖から周年繁殖（1年中いつでも子を産むことができる）に変化する動物は多い。たとえば、オオカミは季節繁殖で、通常は年に1回、春

に出産して子育てをする。春から夏の子育て期間が、メスの栄養状態が最も良好な時期にあたるからだ。

一方、ヒトの飼育下にあって進化したイヌは栄養状態が季節によって変わらないため、周年繁殖をする。

周年繁殖をする飼育動物は多く、ブタやウシやウサギなどの家畜も周年繁殖である。ネコは通常季節繁殖動物だが、これも家畜化がイヌほど進んでいないせいかもしれない。雌(めす)ネコは日照時間が長くなる春先から夏にかけて発情するが、室内で飼育されていると、外界の日照時間と関係なく、室内は夜も明るいため、周年繁殖になることもあるようだ。

3　病気への耐性が低下する

家畜は品種改良の過程で、近親交配によって性質を固定されることが多い。そのため、固定された品種は遺伝的多様性が低くなり、特定の感染症にかかりやすくなったり、病気を誘発する劣性の遺伝子がホモ接合（両親由来の対立遺伝子が同じになること）になったりするため、病気への耐性が低下する。

純系の家畜の品種は感染症が流行すると全滅するおそれがあるが、野生動物は個体群内の遺伝的多様性が高いため、疫病が流行しても全滅する可能性は低い。

4　自立性が低下する

家畜になれば自ら餌を探し出し、狩りをする必要がなくなる。そのため、生物としての自立性が低下し、なかには自力で生きていくことが難しくなったものもある。愛玩用の小型のイヌは、野に放たれたら自力で生きられずに多くが野垂れ死ぬだろう。ヒトに面倒を見てもらえないと生きていけないため、飼い主に対して媚（こび）を売ることも覚えていく。

1、2、4に関しては、私たち現代人もすでにこの特徴を備えている。その観点からいえば、やはりヒトも「家畜」の一種といっていいだろう。

ただし、イヌやネコなどの少数の例外を除いて、ほとんどの家畜動物は、ヒトが強制的に飼育し、餌を与え、繁殖をコントロールするなどして家畜にしてきたものであり、自主的に家畜になったわけではない。

それを踏まえると、人間は自らが創造した文化環境のなかで、自らを家畜化した稀有な動物なのかもしれない。

火を使うことでヒトの自己家畜化が始まった

そろそろヒトの自己家畜化という本書のテーマに立ち戻ろう。

人類は長い歳月をかけて、自己家畜化の道のりを突き進んできた。ヒトも自らを家畜化させた「自己家畜化を果たした種」としてイヌやネコと同じように、家畜としての特徴を十分に備えている。

人類の進化の歴史は、自己家畜化の歴史と言い換えてもいい。

人類の自己家畜化の起源は古い。

約180万~150万年前、ホモ・エレクトスが火を使い始めた時期まで遡(さかのぼ)る。

最初のうちは雷が落ちて山火事のようなことが起きたのだろう。その残り火のなかで焼けていた動物の肉を食べたら美味しかったのか、きっかけは誰にもわからない。とにかく何らかの偶然によって、一部の人類は火が便利なことを知った。

そのうち、火を使って肉や木の実を焼くと、軟らかくなって食べやすくなることに多くの人も気づいたのだろう。だが、山火事はしょっちゅう起きるわけではないし、火種はすぐに消える。だから人類は、自力で火をおこすことを覚えた。今から約15万〜6万年ぐらい前の遺跡からは、当時のホモ・サピエンスが日常的に火をおこしていた形跡が見つかっている。

火は多くのものを人類にもたらしてくれた。

暗闇に灯りを、冬には暖かさを。獣を追い払う道具としても役立っただろう。だがなによりも大きかったのは、火を使って肉を調理できるようになったことだ。

硬い生肉も、火を通せば軟らかくなり、食べやすくなった。オオカミがイヌになったように、火の出現によってヒトの顎の筋肉も徐々に退化していった。

生物学的にはヒトの顎の退化は、「突然変異によるもの」だと考えられている。一般的に突然変異個体は全体からすれば少数であり、多くは不適応な形質なので自然選択によって淘汰されることが多い。けれども、突然変異で顎の退化が起きたとしても、加熱調理した軟らかいものを食べられる状況が長く続くと、この突然変異は不利でなくなり、淘汰されなくなる。

すると、これまでは顎を強くするために使っていた資源が、別のところに使われるようになる。たとえば、顎の筋肉を少し弱くした分だけ、余った資源が脳の容量を大きくするための栄養に使われたのかもしれない。脳を大きくすることは極めて適応的な変異なので、顎の力を弱くする変異はむしろ有利になっただろう。

人類の脳と頭蓋骨は、時代を経るごとに明らかに大きくなっている。約２００万年前のホモ・ハビリスの脳の容量は約６００ccだったが、約40万年前には１４００ccにまで達した。これはチンパンジーやボノボの脳の３倍近い大きさだ。

ちなみに、約７万年前から人類の脳の容量は一転して縮小傾向にあるようだ。理由は諸説あるが、家畜化されたほぼすべての動物の脳が小型化しているという研究結果を踏まえると、自己家畜化とも無関係ではないかもしれない。より効率的に脳のシナプス結合が強められた結果、小型化したという説もある。

いずれにせよ、ヒトという種は火を使えるようになったことで、「自己家畜化」のスタート地点に立ったのである。

ヒトの顎を強くする遺伝子はどこで消えたのか

そこからヒトの自己家畜化が大きく進んだのは、農耕と牧畜を始めてからだ。家畜化すると食性が変わり、それに合わせて、形態が変化する。前述したようにオオカミから進化したイヌは、顎や歯が小さくなり、側頭筋や咬筋も縮小した。

ヒト以外の霊長類はＭＹＨ16（Myosin Heavy Chain 16）と呼ばれる、側頭筋と咬筋を強靭にする遺伝子を持っている。だが、ヒト（ホモ・サピエンス）にはこの遺伝子がない。およそ２００万年前に突然変異によって消失したと考えられる。人類が山火事などで自然発火した火を使えることを覚えたのは、ＭＹＨ16の喪失と呼応しているように思える。

火を使えば食材が軟らかくなり、顎の筋肉は強力である必要はなくなる。火を使うことを覚えたのはホモ・エレクトスの時代だったようだが、ホモ・サピエンスが自ら火をおこして日常的に使えるようになったのは13万～12万年前のことだといわれている。

火の使用を覚えてから、人類は火を用いて料理を始めたのだろう。

ホモ・エレクトスの歯の付着物からは、加熱処理なしには食べるのが難しかったであろう硬い肉や根菜の断片が見つかっている。MYH16遺伝子の消失は突然変異による偶然であるが、これが余りにも不適応的な変異であれば、集団中には広まらないと考えられる。火を使って料理をすることにより、食べ物が軟らかくなったので、噛む力が弱くなっても、生きるのに差し支えなくなったのだ。

ブタやイヌの鼻先はなぜ短いのか

多くの家畜は人間によって食性を変えられることにより、形態が変化する。だが、他の動物と違って人間は自ら料理をすることによって食性を変え、これに呼応して形態が多少変化したのである。これも、自己家畜化のひとつの帰結である。

イノシシを家畜化したブタは、自ら動き回ってエサを取る必要がなくなったので、歯や顎といった咀嚼器官が退化傾向を示し、鼻先が短くなった。これはオオカミからイヌ、あるいはサルからヒトへの変化と軌を一にしている。

野生のキツネの繁殖期が家畜化によって増えたことは前述したが、イヌやブタは家畜化によって周年繁殖になるようだ。もしかするとヒトも、かつてエサの供給量が季節によって大幅に異なっていた時代には、季節繁殖をしていた可能性がある。

しかし、ニホンザルは季節繁殖、チンパンジーは周年繁殖をするといわれているので、ヒトの周年繁殖はヒト以前からの習性であった可能性もある。

遺伝子と家畜化の関係性

家畜の4つの共通点のひとつとして「病気への耐性が低下する」ことにも触れた。飼育動物は人為的に交配させられるため、遺伝的に極めて偏った品種を作ることが可能である。その結果、病害虫への耐性が低下しやすい。

だが、人間は選択的に交配させられることは通常はないし、病気になりやすい遺伝子は自然選択の結果、淘汰されていくため、病気への耐性が低くなることはないと考えられていた。

しかし近年になり、医学の進歩に伴って治療法が飛躍的に進化したことで、病気になりやすい遺伝子を持って生まれてきても、治療によって生き延びることができ、さらに子孫をもうけることも可能になった。人類個体群の遺伝子組成を、自然選択とは別のやり方で改変できるようになったのだ。

たとえば、血友病の遺伝子を持っている人は、有効な治療法が発見されていなかった20世紀半ばまでは比較的寿命が短く、子孫を作る人は稀(まれ)であった。血友病はX染色体に異常遺伝子があるX連鎖劣性遺伝によって遺伝する病気である。

血友病の30〜50パーセントは突然変異によるものだが、母親がその遺伝子を持つ保因者であったことにより、生まれてくる子どもが発症することもある。

血液製剤による適切な治療法が開発されたことによって、今ではきちんと治療を受ければ健康な人間と変わらない一生を送ることができるようになった。

だが、見方を変えれば、それによって「血友病の遺伝子が人類個体群のなかから消えにくくなった」ことも事実である。

遺伝子組み換えが向かう先は

逆のパターンもある。

現代は出生前診断の普及によって、胎児の染色体異常を調べられるようになった。これは言い換えれば、病気になりやすい遺伝的変異を個体群中から人為的に除去することもすでに可能になっているということだ。将来的にはゲノム編集などの技術の進歩により、優れている（と思われている）遺伝子を意図的に導入することもできるようになるかもしれない。

これは現代版の優生学、すなわち「優秀な人間の血統のみを次世代に継承し、劣った者たちの血筋は断絶させるか、もしくは有益な人間になるよう改良する」ことを目的とした、科学的人種改良運動にもダイレクトに繋がる危うさを秘めている。

拙著『「現代優生学」の脅威』（インターナショナル新書）でもこの点については詳しく述べているが、こうした人類個体群の遺伝子組成への介入もまた、一種の自己家畜化のバリエーションといえないこともない。

火を使って料理をすることによる咀嚼機能の低下と、医療の進歩による人類個体群の遺伝子組成の変化は、生物学的には重要な自己家畜化に違いないが、これらは人類の自己家畜化としてはむしろ些末な部類であろう。

より重大な自己家畜化は、やはり食物生産の方法を飛躍的に進歩させたことと、食物の分配システムを構築したこと、食以外の生活環境を改善したこと、そして精神的な面では、自立性の低下と従属性の増大が挙げられる。

種を蒔き、穀物を栽培するようになったことで、人類はわざわざ危険を冒して獲物を探しに行かなくても、食糧をある程度までは安全に確保できるようになった。生存確率が上がったという意味では、間違いなく喜ばしいことである。

だが、ヒトの自己家畜化が本格化していったのは、まさしくこの時点からだと考えられる。

人類はどれが毒キノコか五感では判断できない

安定して食糧が確保されている状態と、個体としての危機察知能力や自立性はトレードオフになるようで、人間は危険を察知する能力を徐々に衰退させてきた生き物である。

身近な一例を挙げてみよう。

ほとんどの現代人は、キノコと毒キノコの区別がつかない。もちろん、本などを読んでキノコの知識をつければ別だ。だが、知識ゼロで生き物としてキノコと向き合った場合、安全なキノコと毒があるキノコの違いを、ほとんどの人はもはや自分の五感では判断できなくなっているはずだ。

私の家の周辺の山には、タマゴタケという真っ赤なキノコがたくさん生える。タマゴタケはヨーロッパでは「皇帝のキノコ」と呼ばれ、珍重されている美味なキノコだ。ところが、私が40年ほど前にこの家に引っ越してきた時は、近所の人たちは誰一人としてタマゴタケに手をつけていなかった。おそらく毒キノコとして有名なベニテングタケと見た目が似ているから、混同していたのだろう。

タマゴタケが優秀な食菌であることを知っていた私は、タマゴタケを毎年たくさん採っては「うまいうまい」と喜んで食べていた。すると、それを知った近所の人たちが「え、このキノコ、食べられるんですか?」と聞いてくるようになった。数年経つとその噂が徐々に広まったらしく、タマゴタケを採る近隣の人もだんだんと増えていった。

要するに、この地域ではみんなが迷信や誤った噂だけを頼りに、「あのキノコは食べられない毒キノコに違いない」とずっと思い込んでいたのだ。毒の有無という命に関わる重大な事柄を、ヒトはもう自分の五感だけでは判断できないということがよくわかるエピソードではないだろうか。

家畜は餌に毒を混ぜられても食べる

オオカミが家畜化して進化したイヌも同じだ。

イヌにネギを食べさせると、中毒症状を引き起こすことは愛犬家であればおそらく知っているだろう。ネギやタマネギに含まれる香味成分が、イヌの赤血球を壊してしまうからだ。だが、雑食であるがゆえに人間用に調理されたネギを与えられてうっかり食べてしまい、貧血や腎不全を起こして動物病院に運ばれるイヌは珍しくない。

イヌの祖先のオオカミは完全肉食動物であるから、ネギなんかには見向きもしない。だが家畜化して進化したイヌは、生き物としての勘が鈍くなっている。人間に与えられた餌を何も考えずに咀嚼するウシやブタのように家畜化された動物も同じだ。人間も同様だろう。レストランに行き、テーブルに出てきたものを、私たちは当たり前のように「食べられるもの」だと信じ込んで口に運んでいる。皿に載せられた料理を「どうぞ」と提供されれば、たいていの人はそれが毒入りであっても疑わずに食べてしまうだろう。

人類はそうした五感の退化を、前の世代からの知識の伝承や仲間同士による情報共有、そしてテクノロジーの進歩という文明の利器などによってカバーしてきた。山で採ったキノコに毒があるかどうかは、今はちょっとスマホで検索すればすぐにわかる。この行為は野生動物には絶対に真似できない芸当だ。

一方で、キノコの毒の有無はスマホで判断できても、偉い誰かのいうことの真偽をスマホでは判断できないので、そのまま鵜呑み（うの）にして思考停止に陥っている人間はこの社会に大勢いる。皮肉だがこれもまた自己家畜化が進んだ結果だろう。

受験勉強はヒトの自己家畜化の最たるもの

このように文明が進歩するにつれて、ヒトは野生動物からどんどん離れた生き物へと性質を変えてきた。ヒトの自己家畜化という概念の理解のために、もう少しだけ現代の身近な事例を紹介したい。

たとえば、野生動物の世界には医療がない。それゆえに「今この時の治療の痛みを我慢すれば、いずれは怪我がよくなる」という思考が理解できない。野生動物にとって、痛みは痛みでしかないのだ。

「今の苦しさを耐えれば、未来にはいいことがある」と理解し、行動をできるのはおそらくは人間だけだろう。

その最たるものが受験勉強だ。

今がどれだけ大変で苦しくても、ここを乗り越えればいい学校に入学できるはずだ。10年後にはいい会社に就職できるだろう。そう盲信しない限り、受験勉強なんてバカバカしくてできないが、日本はいうまでもないが、海外の先進国でも受験勉強あるいは資格試験の勉強は苛烈なようだ。

血がにじむほどの努力を重ねて自分へのご褒美を先延ばしにしているうちに、寿命が尽きてしまったら無意味では？　と考えたくなるが、親や教師などの「良識的な大人」はおそらくそんな可能性は口にしないだろう。

だが、5歳くらいまでの子どもは「今、我慢すれば未来にいいことがある」という考えをまだ理解できない子のほうが多数派だ。今日という一日は楽しかった。将来のことなんかまったく知らないけど、寝て、起きたらまた明日が来るだろう。どこの国でも5歳未満の子どもの思考はそれが普通だし、そのあたりは野生動物とほぼ同じといえるだろう。

基本的に、生物は楽なことしかしない。

ネコを飼っている人なら理解できるはずだが、ネコに「努力しろ」といって芸を教え込んでも時間の無駄でしかない。ヒトとコミュニケーションを取り、芸を覚えて飼い主を喜ばせ、報酬をもらうというイヌに備わった回路が、ネコの進化の過程においては育（はぐく）まれなかったからだ。

子猫は遊ぶのが好きだが、人間に飼われているイエネコは年を取るとぐうたら寝ているだけになる。安穏とぐうたらできるから、ツシマヤマネコのような野生の猫よりも長生きする。動物園の動物と野生動物の寿命を比べると、前者のほうがずっと長いのもそこに起因しているのだろう。

南の島にエコノミックアニマルはいない

自己家畜化が進んでいるヒトという種にも、時代やお国柄によって進行の度合いにはグラデーションがある。

かつて高度経済成長期の日本人は、欧米人からは「エコノミックアニマル」と揶揄(やゆ)されていた。24時間働きまくった先にこそ、幸福で豊かな人生がある。そう盲信しなければ、とても睡眠時間を削ってまで滅私奉公(めっしほうこう)的な働き方はできない。自己家畜化という文脈から捉え直すと、エコノミックアニマルという表現は非常に示唆的でもある。

一方で、当時の日本人から見るとタイやマレーシアなど東南アジアの国々には、まったく働かないような人々、とりわけ男性たちが市井(しせい)には大勢いた。

日本人がエコノミックアニマルと呼ばれていた時代の東南アジアでは、外に出て働き、子を育てて切り盛りするのはもっぱら女性の役割だった。男たちがすることといえば、店先で博打(ばくち)をしたり、煙草(たばこ)を吸ったり、象棋(シャンチー)をしたりと優雅なものだ。

勤勉が美徳とされていた高度経済成長期のサラリーマンが、毎日ブラブラしているタイの男性に話しかけたら、おそらくこんな具合の会話になるだろう。

「なぜ君たちは一生懸命に働かないのか？」
「働いてお金を儲けてなにかいいことあるのか？」
「一生懸命働いてお金を儲ければ、休日にはいいワインでも飲みながら贅沢な料理を食べて、海辺でくつろぐことができる。いいだろう？」
「俺たちは毎日似たようなことをしているから大丈夫」

温暖な気候に恵まれている国では、飢える心配があまりない。いざとなったら海で魚を釣り、山で果物でも探せばいい。だからなにかに耐えてまで労働をする必要性なんてものがまったくなかったのだ。

もちろん、40年前と今では東南アジアの事情も変わってきているかもしれないし、地域差もある。ジェンダー格差の問題も絡んでいるだろう。だが日中からブラブラしている成人男性が決して珍しい存在ではないことは、基本的には今も変わっていないようだ。

個として脆弱だから家畜化が加速した

一方で、南国の男たちが楽観的な生き方ができるのも、人間が群れで暮らす社会的動物だから成り立つことだ。

サバンナの草食動物が脚を怪我してしまった日には、あっという間に群れから置いていかれてライオンに食われる運命になるだろう。野生動物に倫理や配慮なんてものは存在しないからだ。

人間も同じで、個人で見ればきわめて脆弱な生き物だ。そもそも、死ぬまでたった一人で、自給自足で暮らせる人間なんてこの世に存在しないといっていい。

人間の社会において弱い立場の人を取りこぼさないために生まれたのが福祉制度であり、社会全体で弱い人の面倒を見るというシステムが近代以降は世界的な常識になっていったのもそのためだ。

そうした観点を踏まえると、強い立場にある者が、弱い立場にある者に介入・庇護するパターナリズム（父権主義）もまた、一種のヒトの自己家畜化のなせる業だろう。

移動によって食糧を確保した狩猟採集生活

さて、再びホモ・サピエンスの狩猟時代にまで話を戻そう。

はるか昔の約30万年前に出現した現生人類（ホモ・サピエンス）は、基本的には採集と狩りで食物を得る野生動物と変わらない生活をしていた。

ホモ・サピエンスはせいぜい50人くらいの小集団（バンドと呼ばれる）で暮らしていたことがわかっている。当然、日々の食糧からねぐらまで、人々はすべてを自力で確保しながら暮らしていた。

狩猟採集民と移動は切り離せない。ある地域に留まって食べ物を確保しようとすると、取り尽くしてしまうからだ。そのため、バンドは定期的に移動を繰り返していたようだ。

ある地域にいったん腰を据え、食べ物を見つけてしばらく暮らしたあと、それ以上の採集が難しくなると次の地域へと移動する。

このような移動生活を繰り返していたため、当時のコミュニティは１００人以上に膨れ上がることは難しかったであろう。狩猟採集民のバンドにもリーダー的存在はいたようだが、小規模な集団で平和は維持されていた。構成員も固定されず、他のバンドから新たに入ってきたり出ていったりと流動的だったケースもあったようだ。

法律のような厳格で明示的なルールはなかったにせよ、バンドの安定性を乱す人は、場合によってはバンドを追放されただろう。バンドで生きる人々にとって集団からの孤立はほとんど死を意味する。トラブルなどで母集団から分かれるにしても、グループで分かれたに違いない。集団に属することのメリットとそこから弾かれることへの恐怖は、狩猟採集の時代から人々は肌で理解していたのであろう。

共同体と個の自立性はトレードオフ

毎日がハードモードの完全な狩猟採集生活から、米などの穀物を栽培する農耕生活への移行段階は、日本では縄文時代にあたる。

縄文時代になると野生動物の狩猟と野生植物の採集、そして栗などの栽培の合わせ技によって、食物を確保する定住生活が始まった。

有名な青森県の三内丸山（さんないまるやま）遺跡は5900～4200年前の縄文時代の住居跡だが、最盛期の人口は300～500人と推定されている。

集団の人数が増えていくと、共同体の秩序を維持するためにルールやタブー、社会規範が狩猟採集民のバンドよりも意味を持ってくる。ひとつのバンドのなかだけで通用する文法があいまいな言語から、より広い範囲で通用する共通言語が使われるようになり、言語と文化的習慣を共有することで人々は繋がっていったはずだ。

この時代は階級が分化するところまではいかなかったが、数百人規模の人数で暮らしていたとすれば、集落の掟（おきて）を無視して行動するわけにもいかなかったであろう。共同体が巨大化し、強固になるほど、個人はそのルールに従属せざるを得なくなる。

その結果、完全な狩猟採集生活時代と比べて、個々人に備わっていた自立性や自主性は低下していき、この頃からヒトは多少なりとも「家畜的感性」を身につけていったのかもしれない。

従順になるほど自立は遠ざかる

遅ればせながら私が「自己家畜化」に興味を抱くようになったきっかけについても、ここで触れておきたい。

人間は動物を家畜化して発展してきたが、同時に自分たちをも家畜のごとく管理している、という「自己家畜化」現象について興味を抱いたのは、日本で自己家畜化の議論を喧伝した分子人類学者・尾本恵市（おもとけいいち）（東京大学・国際日本文化研究センター名誉教授）の研究や論文を知ったことがきっかけだったと記憶している。

人為選択、すなわち人が選択的に動物を交配させ、自分たちの役に立つようにかけ合わせることによって、動物はどんどん従順になっていく。従順になれば餌をもらえるからだ。餌をもらえることがわかれば、そこから逃げる必要性もなくなる。そして最終的には自立できない生き物となってしまう。

こうした自己家畜化の現象は、野生動物の一般的な進化パターンから見て、非常に特異な進化の帰結であると実感したのが関心の発端だ。

イヌ、ウシ、ウマ、ブタ、ヒツジ、ヤギ、ラクダやリャマ、ヤクなど、世界各地に目を向けると、人間によって家畜化されてきた動物は数多くいる。いずれも人間が主体となってその動物たちに長い時間をかけて手を加えてきたことで、性質が従順になり、繁殖期が長くなり、外見の変化が促されたことはすでに何度も述べてきた。

動物を家畜化している主体である私たち自身も、じつは自分たちを家畜化している側面がある、という学説は長らく見向きもされなかった。

けれども、近代史を少し振り返っただけでも自己家畜化の片鱗（へんりん）はあちらこちらに見て取れる。集団の同調圧力などはその最たる例だろう。

プーチン大統領の独裁政権が続くロシアを見れば一目瞭然だ。権力者に反抗的な人間は罰を受ける。追放され、最悪の場合は命を奪われる。日本の歴史を振り返っても、敵対する反逆者のみならず、その一族が処刑されることはまったく珍しいことではなかった。

集団に馴染(なじ)まない、逸脱(いつだつ)する行為は、社会と切り離されては生きられない人間にとって、文字通り命取りになる。そうした状況下で少しでも生き延びる確率を上げようと思ったら、とにかく従順にならざるを得ない。それは経験則からくる知恵であり、集団全体に働きかける力といってもいいかもしれない。

だから同調圧力が強い国や社会ほど、従順な国民が増える。「自己家畜化」という概念を知った時から、その傾向が他国と比べても最も極端な形で現れている国が、まさに現代日本ではないだろうかと私は長年考えてきた。

オオカミが形質や遺伝子を変えてイヌに進化したように、日本という島国では反逆者の遺伝子は事あるごとに淘汰され、独立心がない従順な人間だけが多く生き残り、その遺伝子が脈々と受け継がれてきたという見方もできるかもしれない。

もちろん、生まれ持った遺伝子だけの話ではなく、生育過程において受ける教育や社会的風習、親の価値観など、あらゆる環境的な要素の影響も受けていることはいうまでもないが、遺伝的な面は否定できないだろう。

財をめぐる争奪戦と階級化の始まり

農耕の始まりと「家畜的感性」の関係性について話を戻そう。

およそ1万年前、断続的に続いていた氷期が終わり、気候が温暖化したことで、いよいよ本格的に人類は農耕と牧畜の生活へとシフトしていった。

定住し、作物を自らの手で栽培することで、人類はより多くの食糧を毎年収穫できるようになった。余った食糧は飢饉（ききん）に備えて保存されるようになり、生存率はますます高まった。だが、それによって厄介事も起きるようになった。

余剰の財（食糧）を蓄えることができるようになると、その財の所有をめぐって争奪戦が起こる。

強い者がより多くの財を取り、弱い者はほとんど財を持てないという形で、社会に階層が生まれてきたのもこの頃だ。

すると当然、上に立つことができた強者は、自分は働かずに他の人間たちを働かせて収穫物を召し上げるようになる。さらには隣の集落を襲って作物を奪うようにもなった。負けた集落の人々は捕虜として連行され、奴隷という身分に落とされる。こうして階級が分化していった。

「奴隷」という名のヒトの家畜化

世界のあちこちで農耕が始まったのは、今から約１万２０００〜７０００年前と考えられている。

そこから食糧の増産によって人口が増え、集落が都市へと成長し、古代オリエントで強大な独裁国家が生まれたのが約３４００年前のことだ。独裁的な帝国とは、極端な階級社会が具現化した社会といってもいい。

独裁的な帝国では、被支配者は黙々と命令に従って働かなければ、生きることが許されない。階層ピラミッドの最底辺にいた奴隷は、農耕に駆り出されるウシやウマに等しい存在でしかない。

こうして人類の狩猟採集生活は終わりを告げ、人類には「家畜的感性」を備えた個体が次第に増えていったのだと考えられる。

階級が生んだ人間社会特有のねじれ

だが、自己家畜化という文脈から捉えると、ここで人間社会特有のユニークな現象が起きている点に注目したい。

それは、「ピラミッドの上層にいる権力者のほうが、自己家畜化している」という、ねじれの現象が起きている点だ。

ウシやウマのように人間が家畜化した動物は、人間から餌をもらって生きる。だが、独裁国家では、奴隷が作ったものを上の階級が横取りして食べる構図になる。「権力者が搾取している」とも解釈できるが、見方を変えればウシやウマが人間に食べさせてもらっているように、「権力者が奴隷に食べさせてもらっている」。つまり、主客が転倒したのだ。

自給自足が野生動物の基本生活であるとしたら、自給自足ができない支配階級は家畜に近い。食糧という「財」を中心に考えると、権力者が自らを家畜化した＝自己家畜化していった、と捉えることができるだろう。

現代に置き換えると、第一次産業（農業・漁業・林業など）に従事していない人は、家畜的だともいえる。だが、それは貨幣経済と分業化が進んだ結果でもある。独裁国家の成立と呼応して、貨幣が生まれ、衣食住のすべてを自力で賄わずとも、貨幣を媒介して入手できるようになった。

ここから始まっていくヒト独自の自己家畜化の過程については、続く第2章で詳しく紹介していく。

第2章

人類の自己家畜化

ヒトはどんな動物よりも家畜化された種である

第1章では「家畜化」と「自己家畜化」という概念について、動物とヒトの自己家畜化の歴史のアウトラインを、人類誕生の歩みに沿って解説してきた。

家畜化とは、ただ野生動物を飼いならすことばかりではなく、何世代もかけてその種の形質を変化させていくことでもある。家畜化された動物は、人間への攻撃性が低くなり、忍耐強く、そして従順になる。

人類の歴史を振り返ると、現生人類は自らを家畜化してきた＝自己家畜化を果たしたことによって進化と繁栄を遂げてきたことが強く示唆されている。

18世紀のドイツに生まれた人類学者ヨハン・フリードリヒ・ブルーメンバッハは「ヒトは他のどんな動物よりはるかに家畜化され、最初の祖先から進化している」と1795年に書き残している。ブルーメンバッハの主張はその後も一貫していたが、当時のヨーロッパ諸国の知識人にとってにわかに受け入れがたい概念だった。

未開の地に暮らす野蛮な人間たちのなかには、家畜化されている人間もおそらくいるだろう。だが、自分たちのような理性的な知識人が、ウマやウシと同列に「家畜化」されて進化した存在だとは到底理解できない、というのがブルーメンバッハの批判者の言い分だったようだ。

ヒトは家畜化された存在であるというブルーメンバッハの主張は、その後、『種の起源』で進化論を唱えたダーウィンによっても検討されている。

ヒトは本当に家畜化された存在なのか？

であるならば、どのような過程を経て自己家畜化を遂げてきたのか？

本章では文明が発展してからの歴史を軸に、貨幣、都市化、分業化などのいわゆる人類の進歩の証（あかし）とされてきた発明や事象が、どのようにヒトの自己家畜化に影響を与え、加速させていったのかを解説していく。

都市の誕生と分業化

食糧生産が始まり、共同体が大きくなると、大勢の人が暮らす集落は都市へと発展していく。

すると、これまでは農耕や牧畜を皆で同じく行なっていた社会にも変化が訪れる。

分業による職業の誕生だ。穀物を栽培する人、家畜を育てる人、農具を作る人、力仕事をする人などの分業化が進んだことで、身分や貧富の差はさらに拡大していった。

分業化によって流通する財が増えると、近隣の都市との交易も盛んになった。交易も一種のコミュニケーションであるから、必然的に両者を行き交うツールとして文字言語が必要になる。文字や数字を記録に残し、やり取りする必要が生じたからだ。また外にベクトルが向いた交易以外にも、「共同体の歴史やルールを記録に残す」というコミュニティ内部の結束や価値観の共有という観点からも文字言語は貢献した。「目には目を」で知られるハンムラビ法典がそうだ。文字言語の誕生は、もちろん文化の発展にも大いに貢献した。

また、たとえ文字が読めなくても同じ言語で繋がった集団に属することで、ヒトは共感性と協調性を発達させていったのではないかと考えられる。

貨幣の誕生とヒトの社会性

そのうちに物々交換による交易はなにかと不便だと皆が気づき、「物」と「貨幣」のやり取りへと取引の形を変えていく。

貨幣についての最も古い記録は、今から約４５００年前の古代メソポタミア文明のものだといわれている。

分業化が進み、商売が多様化し、交易が盛んになったことで、貨幣は人間にとって必需品となった。貨幣があれば自分たちが暮らす共同体の内部だけでなく、離れた場所の共同体とのやり取りも円滑になったからだ。

よい農具を使えば、麦の収穫量が増えて豊かになる。そのために、お金を払って農具を買おう。そう考えるのはごく自然な発想だろう。食糧を多く生産したほうが、共同体で優位に立てるからだ。

そして優位に立てた人間は、そうでない人間を服従させることも可能になる。劣位に立たされた側の人間は、生き延びるためには従順にならざるを得ない。従順さを選択することで、ヒトの自己家畜化はさらに促されていったのである。

宗教が生まれ「服従心」が醸成された

もうひとつ、人類の歴史と自己家畜化の関係性を考える上で「貨幣」と同じくらい重要なものが「宗教」だ。

宗教の起源には諸説あるが、最初に発生した宗教の原型は自然への畏敬の念が具現化されたアニミズム的な多神教だったのであろう。

その後、古代エジプトのアメンホテプ4世が紀元前1367年頃「神はただ一人、太陽神アトンのみ」と民に命じ、他の信仰を禁止したことで史上初の一神教が生まれたといわれている。

さらに、紀元前1280年頃にはユダヤ教が誕生した。ユダヤ教は現在まで残る一神教の起点となる宗教といってもいいだろう。同じく一神教として世に広まったキリスト教は、ユダヤ教から枝分かれして生まれた宗教だ。ユダヤ教とキリスト教の影響を受けて生まれたイスラム教もまた、唯一神を崇(あが)める一神教だ。

ヨーロッパ全域に一神教が広がったことによる大きな影響は、「神」という名の存在に従属するパトス（情念）のようなものが社会全体に醸成されたことだろう。

複数の神ではなく、唯一の神に服従する——。それによって自らの生が保証されるという考え方は、家畜になって生き延びようとする思考と非常に近いところにある。一神教の祈りや儀式、聖典に基づいた伝統、倫理的行動は、いずれも神との対話であり、神への「服従」を可視化させたものといえるだろう。

一神教では人間だけが特別な存在である

一神教がヨーロッパ圏にもたらした影響について、もう少し掘り下げてみよう。

ユダヤ教、キリスト教、イスラム教の教典には、「創世記」が含まれるという共通点がある。創世記とは、神がどのようにこの世界を創り出したのか、神はいかに偉大なのかを綴(つづ)った物語だ。信仰心の度合いによって異なるかもしれないが、その宗教を信じる人々は一般的に「史実」としてそれらの創世記をいったんは受け止めている。

天地創造、アダムとイブ、カインとアベル、ノアの方舟(はこぶね)と大洪水などの有名なエピソードは、キリスト教徒ではなくとも耳にしたことがあるだろう。

創世記は神の偉大さを称えることを目的として作られた物語だが、同時に「人間は他の動物と異なる特別な生き物である」というメッセージも強烈に発してきた。

聖書には、神は自分に似せて人間を造り、人間だけに特別な愛を持っていると書かれている。神はすべての動物を造ったが、人間だけを特別な存在とした。だから人間は、他の動物を「使う」特権、家畜化する自由を持っていていい。そういう理屈になる。これはヨーロッパの人々が多く移住したアメリカ大陸においても同じだ。

「人間は特別な存在である」という思想がもたらしたもの

一神教がもたらした「人間は他の動物と異なる特別な存在である」という考え方を軸に、ここで再びヨーロッパにおける農耕の歴史を振り返ってみよう。

一神教によって社会に根付いた「人間は特別である」という思考は、農耕の発展にも影響を与えてきた。

小麦がヨーロッパで広く栽培されるようになると、人々は広い畑にたくさん種蒔きをして、なるべくたくさん収穫したいと考えたであろう。だが、広大な畑を人間だけで耕すのは多大な労力がいる。それならば、ウシやウマを人間の代わりに労力として使おう（家畜化）、もっと使い勝手のいい道具（農具）を開発しよう、という具合に、人々は農業にどんどん合理性と効率性を求めるようになり、18世紀に「農業革命」と呼ばれる飛躍的な生産性の向上が起こった。

それまで、中世ヨーロッパでは農奴（のうど）制が一般的だったが、農業革命により人力が余ってくると農奴は不用になり、農奴制は徐々に崩壊してくる。

ちょうどその頃「産業革命」が起こり、かつての農奴は都市に移住して労働者となっていった。

農奴という存在

さて、ここで少し農奴制について述べてみたい。農奴は3世紀に労働者不足に直面したローマ帝国が本来は自由人であった民を小作人として使用するところから始まったといわれている。やがて小作人は土地を離れることを許されなくなり、農奴となっていった。農奴は奴隷と異なり結婚し、家庭を営むことができたが、土地を離れる自由はなかった。

人権意識というものがまだ存在していなかった中世では、農奴に移住の自由を与えずに働かせることによって作物をたくさん収穫できるのであれば、支配層にとってそれは正しい行ないと考えられていたに違いない。

前近代において日本に存在していた小作制度も、構造はヨーロッパの農奴制とほぼ同じだろう。とはいえ、一神教という強力な思想のバックアップが社会にインストールされていたぶん、神を頂点とするヨーロッパの階級制度の下の農奴制のほうが日本のそれよりもはるかに強固であったことは容易に想像できる。

第3章で詳しく触れていくが、日本では一神教ではなく、「八百万(やおよろず)の神々」という考え方が長らく主流だった。唯一絶対の神ではなく、自然界の至る所、あちらにもこちらにも神様がいるという発想だ。一神教を奉(たてまつ)る西洋と、八百万の神々と共存する日本では、神というものの存在の重みが、まったく異なっていることは確かであろう。

「役に立つものは善、役に立たないものは悪」

貨幣、文字言語、宗教が誕生し、社会や文化が育ち、分業が進むことによって、人間の生存確率が格段に上がったことは間違いない。とりわけヨーロッパ諸国においては、社会全体で合理性を追求する精神が育まれていった。

一方で人間の精神的な面に目を向けると、「自立性の低下」と「従属性の増大」という自己家畜化の特性は時代を経るごとに明らかに増大している。

そして、このような自己家畜化の推進に通底しているのは、「役に立つものは善、役に立たないものは悪」という思想である。

文化人類学者の川田順造（かわだじゅんぞう）は次のように述べている。

「動物の家畜化は、一つの種がもつある特性を、人間の利益に適うように人為的に発達させる過程として定義できるだろう。だが同時にこの過程を経ることで、その種は次第に、人工的に調節された生活条件に依存しなければ生きられないようになってしまう。そしてさまざまな種の動物を家畜化しながら、実はヒト（ホモ・サピエンス）という動物の種も、いま述べたような意味での家畜化を、自分自身に対してすすめてきたのである。

つまり、元来はきわめて多面的であったはずのヒトの性向や能力のうち、ある社会に役立つと考えられる面を、その社会は教育によって意図的に開発し、他の面は抑圧して、いわゆる文明の進歩を実現してきた一方で、ヒトはその社会が調整した生活条件に依存しなければ、生きられなくなってきているのである」

（尾本恵市編著『人類の自己家畜化と現代』人文書院）

「社会が調整した生活条件に依存しなければ、生きられなくなってきている」とは、まさにヒトの自己家畜化の特徴であろう。

狩猟採集民は生きるも死ぬも運次第

第1章でも述べたが、狩猟採集生活は極めてリスキーな生活様式だ。何日も獲物にありつけなければ、飢えて死ぬ。たくさん獲物を手に入れられる日もあるが、長くは貯蔵できない。天候の変化から火山の噴火まで、自然災害によっても生命の安全は大いに左右される。死ぬも生きるも運次第だ。ただ、思い煩ってても仕方がないその日暮らしという意味では、のんきに構えることができたのかもしれない。

狩猟採集生活をしている部族は、現在も世界全体から見ればごく少数だが存在している。コンゴ民主共和国のムブティ族（ピグミー族の総称）、カラハリ砂漠のサン族、スリランカの山間部で暮らすヴェッダ族などが代表的で、北極圏から熱帯雨林、砂漠に至るまで、じつにさまざまな狩猟採集民が生活を営んでいる。

人々は数家族単位のバンドをなして移動し、根茎植物などの採集と、弓矢、槍などの武器を用いた狩猟を行なっている。都市部で暮らしている人間の感覚で見ると、つい自分の暮らしと照らし合わせて「大変そう」と思いたくなるが、狩猟採集民の平均労働時間はせいぜい１日３時間くらいとのデータもある。

24時間戦うように煽り立てられた高度経済成長期の企業戦士と、現代を生きる狩猟採集民では、後者のほうがはるかにゆとりのある生活であることは間違いない。

余剰の財は支配階級に収奪される

ヒトの自己家畜化における「自立性の低下」と「従属性の増大」についてもう少し掘り下げていこう。

米、小麦、トウモロコシなどを主に生産する農耕生活に移行すると、穀物を貯蔵できるようになる。だが穀物を貯蔵できるようになると、働けば働くほど収量は増えるという前提になるため、長く働くことは収量を増やすのに役に立つということで「善」とされた。逆に、働かないのは役立たずということで「悪」という話になる。

こうして、「役に立つものは善、役に立たないものは悪」という思想が社会に広がり、ヒトの自己家畜化はますます促進されていった。勤勉や労働を美徳とする伝承や昔話が各地に多く残っていることからもそれは明らかだ。

狩猟採集の時代は、狩りや採集に携わる一人ひとりがそれなりの知識や技術を持っている必要性があった。対して、農耕は一握りの指導者の命令通りに、大勢が力を合わせて動いたほうが圧倒的に効率よく収穫高を上げられる。そうなると、単独で異なる動きをする人間や、反抗的な人間は集団から排除されがちになる。自立性の低下と従属性の増大は、ここにも表れている。農耕をする以外の能力を求められなかった農民は、農耕という目的のために役に立つ家畜に近くなってきたわけだ。

労働時間も狩猟採集生活をしていた頃に比べれば、格段に増えただろう。本格的な農耕の始まりは、階級社会を生み出し、支配階級は余剰となった財を収奪した。余剰が、社会全体に公平に再分配されることは極めてレアケースだというのは、歴史が証明している。強者に収奪されるのが余剰の財の帰結なのだ。

支配階級もまた部族に依存している

では、支配階級に関しては自己家畜化が当てはまらないかといえば、じつはそんなこともない。

特権を持つ支配階級といえども、システムの一員として生きている限り、部族から離れて単独で生きていくことは難しい。支配階級は下層の民から多くを得て生きているが、その社会の条件に依存して生きていかなければならないという意味では、支配階級と被支配階級の人々はある意味で同じ不自由さを持っていた。

そして今、自己家畜化が進んだ現代人は、食糧のみならず、生活必需品もほぼすべてを自給自足ができずに、他人から提供してもらって生きている。

自己家畜化の産物である貨幣が流通したことによって、今度は貨幣経済システムという飼い主の下で養われている家畜のようになって私たちは生きているといえそうだ。

生活に必要な物を自給自足では賄えないため、お互いに依存しあっているという点では、現代人は誰もが家畜に近い。けれども、必要な物をどのように製造したり生産したり利用したりするのかという点に関しては、地域や文化によってじつは大きな違いが見受けられる。要するに、文化が異なることで、自己家畜化の表れ方も違ってくるのだ。

フランスと日本の指向性の違い

地域と文化が異なれば、自己家畜化の様相も当然異なってくることはすでに述べた。

ここから先は西洋と日本を対比させながら、自己家畜化の様相の違いを考察していきたい。

文化人類学者の川田順造は先に引用した論考で、ブルボン王朝（16世紀末〜18世紀）から１９６０年代までにかけてのフランスと、徳川幕藩体制成立（17世紀初頭）から同じく１９６０年代までの日本の、それぞれの技術文化の指向性を比較して次のように述べている。

・フランスにおける技術文化の指向性

一　個人的な巧みさに依存せずに、誰がやっても同様な結果が出るように、道具や装置を工夫する。

二　できるだけ人間以外のエネルギーを使って、より大きな結果を出したい。

・日本における技術文化の指向性

一　機能が未分化の単純な道具を、人間の巧みさで多様に、そして有効に使いこなす。

二　よりよい結果を得るために、人間の労力を惜しみなく注ぎ込む。

川田は、フランスの指向性を「道具の脱人間化」、日本の指向性を「人間の道具化」と呼んでいる。これは両国の自己家畜化の様相を比較する上で、極めて有効なコンセプトである。

カトラリーと箸から見る自己家畜化の様相の違い

抽象的な説明だけではややわかりづらいかもしれないので、それぞれの文化において食事をする時の道具で比較してみよう。

フランス、そして同国と地続きの文化を持つヨーロッパ諸国では、カトラリーの種類が日本人の感覚からすればとにかく多い。スプーン、フォーク、ナイフ、それぞれに複数の種類がある。テーブルの上にカトラリーがずらりと並ぶフランス料理のフルコースを思い浮かべれば理解できるだろう。もちろん、日常の食事ではぐっとシンプルになることが普通だが、道具それ自体に工夫を凝らすのがヨーロッパの指向性である。

対して、日本では多くの人が2本の棒きれである箸を器用に使いこなして、ほぼすべての食事をする。それぞれの用途に合わせた道具を用意するのではなく、人間側が使い方を工夫することで、ひとつの道具をさまざまな場面で使いこなすやり方だ。

ちなみに、箸を使うのは、日本の他に中国、韓国、ベトナムなどの東アジアに限られており、東アジアとヨーロッパ圏以外のアジアやアフリカなどでは、手を使って食べることが多い。食事の道具として手を使うことは原始的なようでいて、じつは結構な技術が必要だ。その意味では手を食事の道具として使うことも、「人間の道具化」と考えて差し支えないだろう。

道具をアップデートさせる西洋人

このような事例から、「道具の脱人間化」は、ヨーロッパから始まった自己家畜化の指向性であると考えられる。

ヨーロッパの人々は分業化に注力し、用途に応じて最も適切な道具を使い分けることが合理的であるという考え方を採った。

対照的に、日本は道具ではなく、人間に創意工夫を求めた。道具はシンプルであっても、人が工夫して使えばよいという発想だ。

文化の違いといってしまえばそれまでだが、道具がないと生きづらさが増すのは前者だろう。もちろん、優劣ではなく違いに過ぎない。自分の外部の物に依存して生きるのが、西洋における自己家畜化のスタイルなのだ。

18世紀半ばになると、世界最初の産業革命がイギリスで始まった。産業革命も、道具を駆使して効率よくやり遂げる西洋の価値観の帰結であることは間違いない。

産業革命は石炭を利用したエネルギー革命だ。これによって産業の主体は人間の手作業から機械による大量生産へと切り替わった。

資本主義システムという新たな飼い主の登場

「より多く、より効率的に」という流れは資本主義の様式を確立させ、社会構造も大きく変わった。産業革命によって国や資本家は多くの富を手にしたが、一方で労働者はより過酷な労働を強いられ、富める者と貧しき者の格差は増大した。

やがて都市部が栄えるようになると、地方の農村から都市へと人が流れ込んでいくようになる。家柄がなくても才能がある人、商才が備わっていた人にチャンスが巡ってくるようになったという意味では、もちろん喜ばしいことだろう。

だがそうではない人々は、競争からふるい落とされて「使役される側」へとまわっていくしかない。グローバル化が進んだ現在においては、幸か不幸か全世界的にこうしたシステムが主流となりつつある。

本章の前半で、古代に都市が誕生した頃から、そこに住むすべての人はシステムの一員として生きる限りはシステムに依存していると述べた。「家畜のように飼いならされている」という視点から見れば、一般市民にとってはご主人さまが「権力を持つ王様」から「資本主義システム」に変わっただけに過ぎないのかもしれない。

厳格な宗教集団と自己家畜化

では、ヨーロッパ文化圏以外においては、自己家畜化の様相はどうなってきたのだろうか。

一般に、宗教は新しく生まれたものほど戒律・ルールが厳しくなる傾向にある。源流にある宗教よりも、派生した分派のほうが戒律が厳しくなるのは世界共通のようだ。新興宗教はすべてそうだろう。すでに広まっている宗教と差別化するために、教義が硬直化して、さまざまな制約が求められるようになるからだ。日本でも昨今、多くの問題が噴出している旧統一教会（世界平和統一家庭連合）もその最たる例だろう。

アメリカやカナダに居住するキリスト教の一派である宗教集団アーミッシュも、徹底した戒律の厳しさと保守性で知られている。

16世紀に宗教改革の迫害を受けてドイツやフランスに移住したあとで、北米に渡ってきた彼らは、当時の生活様式を保持し、農耕や牧畜による自給自足の生活を今でも続けている。電気やガスの使用はもちろん、スマホやＰＣなどの一般的な通信機器、文明の利器と呼ばれるものはほぼ拒絶している徹底ぶりだ。彼らは物質的な自己家畜化を極力避けて生きているといえるだろう。

彼らの行動原則はオルドゥヌング（ドイツ語で戒律を意味する）と呼ばれるガイドラインに則（のっと）っているが、それを破ると罰、または追放、家族との絶縁など厳しいペナルティが課せられる。こうした宗教集団は特別な存在ではない。いつの時代、どの国であっても一定数現れてくるものだろう。

イスラム教圏と自己家畜化

では世界三大宗教に数えられるイスラム教の場合はどうだろうか。

宗教、とくに一神教が自己家畜化を強化してきたことはすでに論じたが、同じく一神教である中東のイスラム諸国では、ヨーロッパに比べると自己家畜化の影響はそこまで顕著ではないようだ。

なぜか？　さまざまな理由が考えられるが、私はイスラム教の戒律が大きく関係しているのではないかと考えている。

イスラム教の歴史はかなり古いが、それでも青銅器時代にルーツを持つユダヤ教には到底敵わないし、キリスト教からも約600年遅れて誕生している。それもあってか、イスラム教はコーランの教えに基づく宗教上のルールが多い。豚肉を食べてはいけない、毎日5回の礼拝、定期的な断食などの厳格なルールは、多くの日本人も耳にしたことがあるはずだ。

生活の隅々にまで戒律が行きわたっているため、社会構造が大きく変化しても自己家畜化があまり促進されなかったのかもしれない。

キリスト教とイスラム教では、動物観が大きく違う点にも注目したい。

イスラム教において、神の慈悲は人間だけに特権的に与えられるものではない。すべての動物は神の創造したものであり、ペットや家畜にも適切な食事と寝床を提供し、大切にするようにとイスラム教のコーランでは明確に言及されている。家畜を「道具」と割り切ったキリスト教圏とは大きく異なるところだろう。

自然の力が強大すぎるアフリカ

では、アフリカ大陸の場合はどうか。

キリスト教やイスラム教はもちろんアフリカにも伝播したが、広大なアフリカ大陸全土を覆い尽くすほどの影響力にはなり得なかった。そもそも、多様な民族が暮らすアフリカでは、アニミズムやシャーマニズムなどの伝統的な信仰がもとから多数存在していた。キリスト教やイスラム教のような統一された教義や組織を持つ宗教は、それらとうまく融合することができなかったのかもしれない。

また、アフリカでは干ばつや洪水、飢饉などが珍しくないことを考えれば、人々は大自然への畏敬の念ゆえに、「自分たちのために使い勝手をよくしよう」といった品種改良のようなパトスが生まれづらかったように思える。独裁国家が乱立していたため、社会が長らく不安定だったことも無関係ではないだろう。

人類発祥の地であるにもかかわらず、アフリカで家畜化された種は皆無と見られている。自然が豊かであると同時に、その力が強大すぎたために、西洋的な人間中心の発想が発展しづらかったのかもしれない。効率性や合理性を追求するどころではなかった、という実情もあるだろう。

ちなみに、アフリカと同様にオーストラリア大陸でも家畜化された動物は知られていない。

アフリカで発達した器用仕事（ブリコラージュ）

アフリカ大陸においては自己家畜化の流れや影響力は、先進国ほどには強くない印象を受けると述べたが、文明が劣っているわけではないことを言い添えておきたい。西洋的な物質主義に照らし合わせて、アフリカは貧しく文明的に劣った大陸であると考えてしまうのはあまりに一面的な考え方だ。

強大な自然があるということは、資源が豊富ということでもある。そんなアフリカで発達したのがブリコラージュ（bricolage）という考え方だ。元来、フランス語に由来するこの言葉は、いろんな物を寄せ集めて新しい別のものを作り出す技法である。

既製品が大量生産されて社会に流通するようになったのは当然ながら近代以降、ごく最近のことだ。それまで人々は身の回りにある雑多なものを寄せ集め、組み合わせることで、役立つ道具を作る知恵を身につけてきた。

アフリカではそのあたりに転がっている曲がった木などを組み合わせるブリコラー

ジュの技法が、日常のあらゆる場面でごく当たり前に見られたようだ。

自然の恵みは常に脅威とセットになっているが、それゆえにアフリカでは自然資源を活用したブリコラージュの手法が発展したのだと考えられる。

先が読めない自然とアフリカンタイム

宗教や文化が社会の自己家畜化に与える影響は大きいが、気候がその地に住む人々の精神性や思想に与える影響もまた見過ごせない。

アフリカのように自然の圧倒的な恵みや脅威とともに暮らす国では、自然をコントロールしようという発想はまず生まれない。すでにそこにあるものを活かして、組み合わせるブリコラージュの手法が発展するのは必然であろう。

アフリカは多民族国家が多く、国ごとにさまざまな国民性があるが、明るくフレンドリーでのんびりしている点は共通している。仕事や待ち合わせに平気で遅刻することやそのルーズな時間感覚は「アフリカンタイム」と呼ばれる。日照りや干ばつなどの自然災害が予測通りに起きるものではないことを考えれば、こうした柔軟さやその日の気分に従う時間感覚が培われていったのも、ごく自然なことなのかもしれない。

北と南では精神性が違って当たり前

対して、ヨーロッパは冬期には厳しい寒さに見舞われる気候であるため、自分たちで施した工夫やコントロールを生活のなかに取り込まざるを得なかったのだろう。

だからこそ、ヨーロッパの人々はさまざまな道具を作り出し、生活がもっと便利になるようにアップデートを繰り返してきた。カトラリーと箸を対比させることで日本とヨーロッパの道具へのスタンスの違いを解説したが、日本の道具に対するスタンスはアフリカとヨーロッパの中間的なものと考えられ、それは日本の気候の厳しさがアフリカとヨーロッパの中間にあることと関係しているのかもしれない。

東南アジアの人が気楽にその日暮らしができたのは、ほどよい温帯気候の南国であることも無関係でないはずだ。日照時間が長く、食べ物の心配があまりないから、楽観的でも生きられる。計画を立てたり、時間をきっちり守ったりする必要もあまりない点はアフリカと共通している。省力化や効率化なんて発想も無縁だろう。

対して、寒い地方では、寒さや飢饉などのリスクが大きいため、厳しい環境下で生き抜くための努力や工夫、計画性が常に必要になる。

もちろん、すべての人々をそういった特色で括ってしまうのは乱暴だが、土地の気候が育む人間の感性にはそれぞれ一定の傾向が見られることは確かだと思う。そうした傾向の集積は歴史や文化、神や動物との向き合い方にもなにかしらの影響を及ぼしているに違いない。

今後、世界でグローバル化がますます進み、国境や文化の障壁を越える人々が増えていくことは間違いないが、それによって人間の自己家畜化は促進されるのだろうか、それとも阻害されるのだろうか。

もし、促進されるとして、従順な人間が増えた未来の世界は、はたして平和だろうか？　ぜひ読者諸氏にも想像してみてほしい。

動物愛護の考え方が与えた影響とは

キリスト教とイスラム教では動物観が異なると述べたが、動物愛護のスタンスの違いについても掘り下げておこう。人類の歴史が他の動物を家畜化することによって栄えてきたことを考えれば、人間が動物をどのように愛護、もしくは利用してきたかは、ヒトの自己家畜化の様相と決して無関係ではないはずだ。

キリスト教が浸透していた欧米諸国においては、長らく社会では人間中心主義が主流であった。最終的な真理を持っているのはあくまでも神であり、人間は神の特別な寵愛(ちょうあい)を受けた存在、他の動物はその下にあるもの、という位置づけだ。家畜は道具の一種であるという発想もそこから生まれている。

対して、万物に霊魂が宿っているというアニミズム的思想と仏教がミックスした日本社会においては、生きていくために食べることは仕方がないが、そうでないのであれば動物の殺生(せっしょう)はなるべく避けるという考え方が根付いていた。

ただし、「なるべく」という点が見逃せないポイントでもある。

厳格な宗教の戒律があるわけでもない日本の一般庶民にとっては、「殺すのはかわいそうだけれども、まあ自分たちが生きるためには食べなければ仕方がない」「食べちゃってごめんなさいね」という考え方が一般的だろう。「いただきます」という言葉に相当するものが英語圏にはないのも、そうした思想の表れかもしれない。だからこそ、日本人は昆虫でもブタでもクジラでも、必要とあれば食べることにそう抵抗はない。

家畜のすべてを資源に変えるモンゴル

同じアジア圏でいえば、遊牧民族の国家であるモンゴルは、日本や欧米諸国とは異なる独特の動物との関係があるようだ。

モンゴルで放牧されている家畜はウマ、ウシ、ヒツジ、ヤギ、ラクダの主に5種類であるが、いずれの家畜であってもその身体のすべてを丸ごと自分たちの資源に変えてしまうという特徴がある。

たとえば、ヒツジを育てている人々にとっては、ヒツジは生活のよき相棒である。けれども生まれた時からずっと可愛がってきたヒツジであっても、頭から脚までそのすべてを自分たちの生活に有用な資源として利用するという軸はブレない。情と感謝があるからといって、殺さない理由にはならないのだ。

ヒツジやヤギ、ラクダから絞った乳は、何種類もの乳製品に加工できる。刈り取った毛は羊毛として自分たちの衣料品に使ったり、販売したりできる。殺したあとは肉を料理して食べるのはもちろん、血や内臓はソーセージにして加工すれば保存食となる。角や骨も家具や日用品の材料にすることができる。糞ですらも燃料に変えてしまう。

もちろん、こうした暮らしを今なお営んでいるモンゴルの人々の数自体は減少傾向にあるが、ここまで丸ごと家畜を自分たちの生に取り込んでいるモンゴルの人々は、西洋的な「動物愛護」といった、動物を上から捉えるような思想とは根本から相容れない感性を持っていると思われる。

動物愛護ムーヴメントが先鋭化しやすい欧米

このように、「自分たち以外の動物」に対する考え方や向き合い方は、国や地域によってさまざまな違いがある。だが、近年の欧米では過去の反動なのか、一部の団体の動物愛護活動が時に過激なほどに先鋭化している節がある。

カナダとアメリカの環境保護活動家によって創設された国際環境保護団体グリーンピースは、その代名詞のような存在だろう。彼らは「クジラを殺すことは絶対的に悪であるのだから、そのような人々は即刻排除すべきだ」という反捕鯨の主張を掲げ、日本の調査船団を相手に大惨事になりかねないほどの激しい妨害を幾度も加えてきた。

船への攻撃的な破壊活動だけではなく、運送会社の倉庫に侵入し宅配物を窃盗するなど、悪質かつ手段を選ばない行為で逮捕されるような事件を幾度も起こしている。自分たちの正義を全うするためには、法に触れようが犠牲が出ようか構わないというう強引さは、エコテロリズムそのものである。

他にも動物の権利を提唱する「動物解放戦線」(Animal Liberation Front: ALF) もまた、破壊行動などの直接行為を辞さないテロ組織と一般にはみなされている。

欧米諸国やオーストラリア、カナダでは20世紀以降、アニマルウェルフェア (動物福祉) への意識が高まり、動物愛護団体の活動も他の国や地域と比べると活発化し、過激な行動をとる団体も数多く存在している。

対して、日本では「なるべくなら殺生はしないほうが望ましいが、まあ我々も生きるためなのだから仕方ない」くらいのゆるさが昔も今も残っている。この価値観をどう捉えるかは、人それぞれだろう。とはいえ、一神教がベースにある国ではこうしたおおらかさ、寛容性はあまり理解されないであろうことは容易に想像できる。

自分たちがこれと定めた正義は、絶対神の真理と同じくらいに正しいものだと信じ込める思い込みの強さは、裏を返せば許容度が低いことの表れでもある。欧米諸国から見れば日本は節操がない国かもしれないが、日本から見れば欧米諸国は頑(かたく)なに自分たちの正義を信奉してしまう危険な国であるように見える。

動物愛護から生まれたヴィーガン思想

ヴィーガン（完全菜食主義者）志向が欧米で流行した背景にも、やはりこうした動物愛護と一神教の思想があると考えられる。

かつては「ベジタリアン」は動物性の素材を避ける程度の意味だったが、いまや菜食主義といえば卵・乳製品なしのヴィーガン仕様を指すことが多くなった。動物を食べることや搾取することに反対する動物愛護の観点から始まったヴィーガンだが、動物性食品を避けることで心臓病や糖尿病リスクを低減させられることや、森林破壊を促進する畜産業を支持しないことなど、健康面や環境保全の観点からヴィーガンを選ぶ人が増えてきている。しかし、ヴィーガンは栄養不足になりがちで長生きしないともいわれている。

さらに、ベジタリアンの種類も細分化している。

肉や魚はもちろん、卵、乳製品、はちみつなどの動物性食品を避けるヴィーガンの他、根菜や葉野菜すらも摂らずに果実やナッツ類のみを摂るフルータリアン、卵と乳製品を含めた菜食主義者のラクト・オボ・ベジタリアン、卵のみＯＫとするオボ・ベジタリアン、乳製品までは許容範囲とするラクト・ベジタリアン、動物性食品は避けるが魚介類と菜食のみを摂るペスキタリアン、玄米主体のマクロビオティックなど、人によってどこで線を引くかは異なるが、こうした厳密さを徹底して求める風潮は日本には少なくともあまりないだろう。

スーパーの肉は加工された動物である

このように一部においては先鋭化が進む反面、「肉」や「魚」がそもそも自分たちと同じく生きた動物であるという意識自体、社会全体としてはどんどん薄れていく一方であることも事実だ。

モンゴルの遊牧民のように、自分たちでヒツジを育て、殺し、食べ、骨や皮まで生活に活用するのであれば、それはもう覚悟を伴った立派な信念であり、向き合い方といえる。

けれども現代人にとって、豚肉や牛肉はスーパーマーケットでしか見かけないものである。加工され、切り分けられ、きれいにパックされた肉は料理の材料であって、動物のパーツであるという意識はほとんどの人があまり持っていないだろう。

一頭のウシがスーパーに並ぶ肉になるまでのあいだに、食肉処理というプロセスがあることをほとんどの人は頭の中から追い払って暮らしている。松阪牛を一頭丸ごと「食べていいよ」ともらったからといってほとんどの人は途方に暮れるだろう。

システマティックに殺され、加工され、きれいにパックされた状態になって初めて、ブランド牛の肉は喜ばれる存在に格上げされるのである。

家畜殺しをタブー視した社会が行き着いたコンビニ

他の動物を食べて、生きる。そのこと自体は太古より繰り返されてきた営みであって、何ら責められることではない。

にもかかわらず、社会的には家畜殺しの実態は隠蔽(いんぺい)されタブー視されてきた。普通の人は毎日のように肉や魚や卵を食べて生きている。だが、それを加工している現場に思いを馳せる人はほとんどいない。

この矛盾を抱えた現代社会が行き着いた先で誕生したのが、コンビニエンスストアだ。

最近では地元の野菜や肉類を一部取り扱うコンビニも増えてきたが、基本的に店頭に整然と並ぶのは出来上がった製品だけである。

そこで我々が出会う肉は、もはや肉ではなく「料理」という出来合いの完成形の一部だ。「他の動物の命をいただく」という実感をそこから感じ取るのは、よほど想像力が豊かでない限りは難しいだろう。

なぜ今あらためて自己家畜化を警告するのか

ここまで述べてきたように、家畜が人間の用意した餌を食べて生きることと、人間が自分の食べるものや必要なものを誰かに作ってもらって利用して生きることは、パラレルになっている。社会全体の仕組みが、それを後押ししているのだから、このシステムを変えることは不可能に近い。

けれども、私が一番気にしているのはそうした行動様式の話ではない。最も懸念しているのは、自己家畜化による影響が現代人、とりわけ日本に住む我々においては、精神のかなり深いところにまで達して家畜的感性が染み込みすぎているのではないか、という点だ。

自己家畜化の概念それ自体は、18世紀末に生まれて以来、これまで十数年スパンでムーヴメントになって盛り上がり、また落ち着いたかと思えば十数年後には再び注目され……という周期を幾度か繰り返している。

ハーバード大学生物人類学教授のリチャード・ランガムは、著書『善と悪のパラドックス　ヒトの進化と〈自己家畜化〉の歴史』（NTT出版）で、人類の進化と自己家畜化の歩みについて考察している。

また、最近ではデューク大学進化人類学教授のブライアン・ヘアが、同大のリサーチ・サイエンティストでジャーナリストのヴァネッサ・ウッズとの共著で『ヒトは〈家畜化〉して進化した　私たちはなぜ寛容で残酷な生き物になったのか』（白楊社）を公刊した。

日本でも前述した文化人類学者の川田順造が、自己家畜化についての論考を発表している。私が自己家畜化という概念を知るきっかけとなった分子人類学者の尾本恵市も、『人類の自己家畜化と現代』で歯や顎の退化、抵抗力の減退、感性の衰弱、個性の喪失とクローン化などの具体例を提示しながら、ヒトの自己家畜化と文明の関係性について学際的に考究している。

ヒトが自己家畜化によって進化（退化）しているという視点は、これまでも決して珍しいわけではなかった。

だが、諸外国に比べ、とりわけ、「日本人の自己家畜化」の度合いと進み方が、近年は過去にないほど加速しているように個人的には感じている。

なぜ日本人の幼児化が進行しているのか

続く第3章の結論を先取りしてしまうが、端的にいえば、今の日本人は極度に幼児化が進んでしまっている。

幼い子が親から仕向けられたレールの上を歩くのと同じように、今の日本人の多くは上から与えられたものを疑いもせず受け取り、素直過ぎるほどの素直さでそれに従っているように思える。

そこには自発的な好奇心も、批判的思考力も、自立した精神性もない。

こうした精神面での脆弱さこそが、現代日本人の自己家畜化における最も危険なところだろう。

言葉を選ばずにいってしまえば、ほとんどの日本人は自己家畜化した存在そのものである。徹底的に家畜化された動物は、ひとたび野に放たれたが最後、そこから自活して生きることができない。

もちろん、当人たちは自分の食い扶持(ぶち)を自分で稼いでいることによって、「自分は自立した人間である」と思い込んでいるであろう。しかし、分業システムと貨幣経済が崩壊すれば、私自身も含めて、自ら食物を得る術をほとんど持たない現代日本人の多くは餓死するより他はない。

現行のシステムが崩壊した時に日本は属国になりうる

歴史が我々に教える教訓のひとつには、その時々ではどんなに強固に見える政治システムであっても、いずれは崩壊するという厳然たる事実である。

「自己家畜化」は現代社会に対する高度な適応形態である。しかし、いかに現行の政治システムに適応的であっても、システムを支えるように機能する感性ではない。状況が変われば、システムの崩壊を止める力にも新しいシステムを立ち上げる力にもなり得ない。老い先短い私が心配しても仕方がないことではあるが、東日本大震災以降の日本社会の有り様を見ていると、人々の自己家畜化にますます拍車がかかり、とどまるところを知らない印象を受ける。

がん検診や健康診断に唯々諾々と向かうのも自己家畜化の最たるものだが、多くの人は自身が家畜化しているとは露も思わず、自ら進んで家畜に成り下がっているようだ。家畜のごとく国家に管理されてたかだか1、2年長く生きたところで、一体何が楽しいのであろうかと私などは思わなくもないが、多くの人が疑問を抱かずに自ら身を委ね、管理される方向へとひた走っている。

今の潮流のまま日本人の自己家畜化が加速していけば、これらの人々を支えるために膨大な資金が必要になるだろう。いや、すでにもうその段階に入っているといってもいい。大きな災害がひとたび起きれば、日本という国が中国の属国に成り下がり、実質的には滅びてしまう可能性だって大いにありうる。

本章では文明の誕生、貨幣、都市化、分業化、気候や宗教観、資本主義システムなどさまざまな観点から自己家畜化を考察してきたが、次章では日本人の自己家畜化の歴史を振り返りながら、現代日本人の自己家畜化の深刻さに焦点を当てていきたい。

第3章

日本人と自己家畜化

日本人は主人を称賛する奴隷になりつつある

ホモ・サピエンスは自己家畜化する生き物である。人類の進化はホモ・サピエンスが社会化していく歴史であり、文化人類学においては自己家畜化の過程は必然だったと考えられている。

火を発見し、道具を工夫し、農耕を開始したヒトの文明の発展は、紛れもない進歩の歴史であると同時に自己家畜化を進行させる歴史でもあった。

だが、近年の日本人の変化に目を向けると、自己家畜化が極まった挙げ句、もはや国としては危機に瀕しているように見える。与えられた環境や既存の制度を無批判に肯定し、そこに従属した結果、シンプルな損得関係すらも考えることができなくなっている人があまりにも多すぎる。

主人に歯向かわない従順な家畜といったレベルを超越して、日本人はもはや主人を称賛する以外になす術がない奴隷になりつつあるのだ。

今の日本は危うい状態にある

人間が用意した餌を食べて生きる家畜のように、現代人は自分が食べるものや生きていく上で必要なものを、自分以外の誰かに作ってもらい、それらを利用して生きてきた。豊かな自然の恵みのもとで自給自足している少数の先住民以外は、ほとんどの国に住む人々がそうだろう。

けれども、私が懸念しているのはそこではなく、東洋、とりわけ日本においては精神的な自己家畜化が加速している点だ。

自ら思考することも反省することもなく、ただただ上から下りてきたものを無批判に受け入れる。自分の身の振り方までも、すべて誰かに用意してもらう。日本の自己家畜化は、すでにこうした危ういフェイズまで来ているように感じられる。

日本人は他の民族と比較すると、自己家畜化の特徴が強く表れているという説がある。たとえば、日本人は欧米人と比べると平均身長が低く、顔が丸く、幼く見える傾向がある。また、集団主義的で協調性が高い反面、権威に服従しやすいという性格も自己家畜化の結果であるとの説も説得力がある。

だが、江戸時代にまで遡ってみると、意外なことに現代の日本社会とは多少様相が異なっていることがわかる。精神的な自己家畜化は江戸時代から育まれたものだと思われるが、江戸時代の農村は物質的な家畜化から免れていたという見方もできるのだ。

本章では他のどの国とも似ていない日本人の自己家畜化の歩みについて、まずは宗教という軸から探っていこう。

一神教が根付かなかった国、日本

自己家畜化を考えていく上で、宗教の影響は避けて通れない。日本に一神教が根付かなかった背景は第2章でもすでに述べた。理由としては、そもそも日本は八百万の神々を信仰する国だったことが大きい。

もうひとつの大きな理由としては、仏教の影響がある。

飛鳥(あすか)時代に外国から仏教が伝来すると、日本人は排除することなくそれを受け入れ、神様と仏様を一緒に祀(まつ)るようになった。これが「神仏習合」の思想だ。江戸時代になると神道と仏教を切り分けようという「神仏分離」の思想が生まれるのだが、長きにわたって仏教は日本人の精神性に影響を及ぼしてきたことは間違いない。

象徴的な例を挙げるならば輪廻転生（りんねてんしょう）だろう。

仏教は「前世がある」という前提に基づいた宗教観であり、「あなたの前世はイヌだった」「自分の前世はてんとう虫だった」という考え方も不思議とは思われない。

そうなると、人間と動物の間に差はさほどなくなる。

もちろん、自分たち人間のほうがやや上の存在だという意識はあったかもしれない。しかし、だからといって「人間だけが特別な生き物であり、それ以外の動物は自分たちのために使っていい」という西洋的な思考までには至らなかった。

人間も、イヌも、虫も、輪廻する存在という意味では等しく同じだという仏教的思想が、そのベースにあったに違いない。

今なお残る「一寸の虫にも五分の魂」思想

動物はもちろん、虫ですらも等しく同じであるという思想は、現代に至っても根付いている。

鎌倉の古刹、建長寺には虫好きとして有名な解剖学者の養老孟司が発案した「虫塚」が建立されている。

毎年6月4日の「虫の日」には研究者や昆虫採集家などが集まり、虫の供養のための慰霊祭を行なっているのだが、私も何度か参加し、僧侶の読経が響き渡るなかで手を合わせてきた。家畜や実験動物の慰霊式を行なう大学は珍しくないが、虫の慰霊祭を行なうイベントはさすがに稀有だろう。少なくとも、国外では他に聞いたことがない。

「人間だけが神に許された特別な存在である」という考え方が強く残る欧米の文化圏では、こうした虫塚のようなものは生まれようがない。虫にそこまで祈りを捧げる精神性がそもそも存在していないからだ。虫塚は「一寸の虫にも五分の魂」ということわざの精神性が、今なお日本人に受け継がれていることの証左といえるかもしれない。

アジア諸国で一神教徒が多い国は？

アジア諸国に目を向けると、じつは日本以外の国では意外とキリスト教が普及している。

お隣の韓国では、総人口の約3割をキリスト教徒が占めている。総人口の約2割を占める仏教徒よりも、キリスト教徒のほうが多く、宗教別に見てもトップである。日本のキリスト教徒が総人口のせいぜい1～2パーセントに過ぎない少数派であることを踏まえると、意外に思う日本人は多いだろう。

フィリピンはアジア諸国でもずば抜けており、総人口の約8割がキリスト教徒と圧倒的多数派だ。独裁国家であるため国の政策に反する宗教組織を取り締まりの対象としている中国ですら、総人口に占めるキリスト教徒の割合は約5パーセントと日本より高い。

日本にキリスト教が広がり始めたのは16世紀の戦国時代であるから、日本に来てからの歴史自体は相当古い。その後、江戸幕府の禁教令によって禁止・弾圧の憂き目に遭うが、明治維新を経て信教の自由が保障されたあとでは、韓国のようにキリスト教徒が増える可能性もあったはずだ。

けれども、日本はそうはならなかった。

タイのように総人口の９割が仏教徒であれば、あとから来たキリスト教徒が増えなくても不思議はない。だが、日本人は熱心な仏教徒ですらない。「実家の宗派は？」と聞かれても、「よくわからない」と回答する人は決して珍しくない。最近は「田舎の墓じまいが面倒だから放置している」という話だってよく耳に入ってくる。アメリカのキリスト教徒は毎週日曜日に教会を訪れる人もいるが、お坊さんの法話を聞きに毎週末に寺へ行く日本人はまずいない。法要だって「とりあえず線香をあげておけば」くらいの感覚だろう。

要するに、日本はほとんど誰も真面目に宗教を信じていない国なのだ。だからキリスト教も広がらなかったし、仏教の精神性は根底に残っても生活規範を変えるまでには至らなかった。

無宗教者が大半を占める国は珍らしい

そもそも明治以前には「宗教」という言葉が存在しなかったため、仏教を法律や人道、倫理的なルールのようすがとして捉えていた人が大半だったようだ。

無宗教者が大半を占める国は世界的に見ても珍らしい。中国、北朝鮮、チェコ、エストニア、香港、そして日本のわずか６カ国・地域しかないといわれている。

宗教がないということは、ロールモデルを持たないことに通じている。

仏教が信仰されているタイやラオス、チベットでは、お坊さん、いわゆる僧侶の地位がダントツに高い。修行の身とされている彼らは最低限の物しか所有せず、人々からの施しに頼って質素に生活しているが、それゆえに尊敬されている。結婚はおろか、女性に触れることすらも戒律で禁じられている。日本のように、僧侶が結婚も肉食も許されている国のほうが稀なのだ。全員がそうとは限らないが、「坊主丸儲け」なんて言葉が生まれるのは少なくとも日本くらいだろう。

要するに、日本では「神」や「僧侶」のような超越した存在がいない状態が、ずっと当たり前だったのである。

群れは社会になり、精神的孤独が生まれる

「何も信じていない状態」は自由だ。

しかし、群れをなして社会で生きざるを得ない人間にとっては、非常に心もとない生き方でもある。

人類の進化の過程を振り返ると、その背景が見えてくるだろう。

狩猟採集時代の人類は、「群れ」で狩りをするということが生存していくためには必要不可欠だった。群れに力を合わせることができれば、生存確率は上がる。逆に、群れからはじき出されて孤独な個体となってしまえば、単独で食べ物を獲るしか生き残る道がなくなる。

単独の狩りはリスクが高い。うっかり怪我でもすれば、獲物が獲れなくなって飢え死にするだろう。大型肉食獣の餌になってしまうこともある。

ネアンデルタール人は仲間を埋葬したあとに、花を供える習慣を持っていたのではないかという説がある。これには異論も多いが、死者を悼(いた)む心を持っていたことは確かなようだ。別れが悲しいのは仲間がいなくなるのが寂しいからだ。現代人が「孤

独」や「ひとりぼっち」の状態を恐れるのは、ネアンデルタール人やクロマニョン人の時代に深く刷り込まれた心的な恐怖が根源にあるのかもしれない。

このように、人類は他者と群れを作り、他者を信じることで生存確率を上げてきた。

ところが、文化や宗教が発展して社会が拡大していくと、ある段階からは「物理的な孤独」以上に、「精神的な孤独」が重大な関心事へと変化していく。集団のなかにいても、劣等感や疎外感を抱き、精神的な孤独を感じる人の割合が増えてきたのだ。

さらに、他の動物よりも脳が大きくなったことで、人間はより抽象度の高い悩みを抱くようになる。幸福とはなにか、自分が生きる意味はなにか、避けられない死の恐怖にどう立ち向かうべきか。

そうした問いに対するひとつの答え、わからないことに対する不安の拠り所として生まれたのが宗教だと考えられる。

心の穴を埋めるものとして神が、自分の精神が落ち着く場所として宗教が、多くの文化圏で機能してきた。

神がいなければ現世の権力者に従うしかない

「神」のような超越した存在を持たない人間が大半を占め、かつ海で囲まれて外国からの影響を受けにくい島国の日本では、神や教祖の代わりに現世の権力者が祭り上げられることになる。

近代化を推し進めた明治以降から終戦までの日本においては、天皇がそうした象徴的存在として祭り上げられた。

天皇家は古代から明治以前は名目上の統治者として存続してきたが、大日本帝国憲法下では「主権者」に位置づけられている。一神教でいうところの神の代わりのような存在に仕立て上げられたのだ。天皇を神とする思想は軍国主義体制の支柱にさせられたが、敗戦によって天皇は「国民統合の象徴」に置き換えられ、再び名目上の統治者たるポジションに戻された。

社会が変革を迫られた明治・大正期には新興宗教が続々と日本で台頭した。戦前戦後には創価学会をはじめとした今なお勢力を誇る教団が続々と登場している。近代化によって社会が大きく揺さぶられた時期に、なにを信じてよいかわからない人たちの心の空白に新興宗教が付け込んだのだともいえるだろう。

だが大半の日本人は、神ではなく現世の権力者に従う道を選んだ。そして、この風潮は今でも続いている。

首相や国会議員がどれほどメチャクチャなことをしても、咎（とが）める人があまりいない日本の風潮はそれと無関係ではないだろう。トップが入れ替われば、次はそのトップに従うだけ。そう思い込んでなにも行動せず、投票すらしないような国民が多数派であることは、選挙の投票率を見れば明らかだ。

また、日本は長い歴史のなかでも下からの革命が起きない稀有な国である。これも、現世の権力者に従属する精神性が染み付いていることと無関係ではないだろう。

自己家畜化から免れた江戸の里山

完全とはいえないまでも日本が物質的な自己家畜化から多少とも免れた稀有なケースとして、江戸時代の里山（さとやま）の事例を紹介したい。

江戸時代の里山は、水田の持続可能性に基づいて設計された自給自足が可能なコミュニティであった。そこで暮らす人々には年貢などの義務はあったものの、小さな農村はかなり閉鎖的なエコシステムであり、そのシステム内で物質が循環することによって一定の持続可能性が保たれていた。

そもそも江戸の約260年間にわたって鎖国体制を敷いていた日本では、エネルギーも食糧も燃料も、なにもかもをすべて国内で賄っていたのだから、そうなるのも当然だろう。

もちろん、江戸時代にも貨幣は流通していたが、物品が行き交う都市部以外では貨幣はそこまで必要とはされていなかった。里山というコミュニティではほぼ自給自足をして暮らせていたからだ。

ちなみに、江戸時代の里山の人々は、狩猟によって得たイノシシやウサギなどの肉を食してはいたようだが、明治期になるまでは動物の肉食や獣の乳を飲むことは穢(けが)れとみなされ、タブー視されていたきらいもあり、これらの獲物の肉はあまり市場に流通しなかった。

江戸時代の農村社会はエコシステム内で完結できた

里山の成り立ちは、山から水が流れ込んだ谷筋の場所に、人が水田を作るところから始まった。水田を作るためにはいくつか条件がある。日当たりがよく、土は田んぼの水を溜められるような粘土質でなければならない。そうした水田に適した条件を持つ場所がいくつか見つかると、人々はそこに住み着くようになった。

そのうち人々は水田の周りに畑を作り、野菜を育てた。畑の周りには、燃料を得るための薪炭林(しんたんりん)を作り、農耕用の牛や馬のための草地を作った。少し離れた場所には、茅葺(かやぶき)の屋根材に利用する茅を得るために、ススキの原っぱを育てた。もう少し離れたところには松や杉を植えて、建材にした。住居を自分たちで作るためだ。

里山の暮らしは、あらゆることを皆が総出で行なう。田植えも、茅葺屋根の葺(ふ)き替えも、どこに水路をつけ、どう補修したらいいかの決定も、個々人の判断ではなく、そこで暮らす人々のコミュニティで物事を決め、一人ひとりが力を合わせてそれらを実行していくしかなかった。物質的な家畜化からは免れていた一方、村の掟には無条件に従わざるを得ないという点からは、精神的な自己家畜化はむしろ強固になってい

った と考えられる。

鍬(くわ)や鋤(すき)のように自分たちでは材料を手配できず、また製造することも難しい農具は、貨幣ではなく米などと物々交換をしていたようだ。当時は今の時代のように、貨幣が絶対ではない。敗戦後の日本で一時期は煙草が貨幣代わりにされていたように、皆が欲しい共通のものさえあれば、それを使って交換すればいいだけの話だった。

自給自足が可能だった小規模コミュニティ

里山に住める人の数には限りがあった。水田の地形と大きさで、どれくらいの米が収穫できるか見当がつくからだ。年貢として納める分を除くと、せいぜい50人分だと目星がつけば、そこに住める人の数も必然的に50人程度に抑えなければならない。

飢饉が起きた時は、生まれたばかりの子どもを間引き(まび)していた。逆に、豊作が続いて子どもが増えた場合は、田んぼを開拓して米の収穫量を増やす方策を探った。だが、そもそもが谷筋で土地が狭いため、増やせる田んぼには限界がある。それならば人数を減らすしかないから、次男や三男は離村という形でどこかへ行ってもらうしかない。こうして余った男たちは、江戸などの都市部へ流れ込んでいった。

江戸時代の里山はこうした形で、50人なら50人を養なってきた。ほぼすべてを自分たちで賄ってきた自給自足の生活は、近代の自己家畜化とは明らかに違うスタイルだ。家畜は自分で自分の餌を作ったりはしないのだから。

近代においては都市化が人間の自己家畜化を加速させたが、化石燃料や電気を使う農法が登場するまでの日本では、こうした循環型の自給自足生活が可能であった。

里山から流れた男たちが江戸へ向かった

余談だが、里山から都市部へと男たちが流れ込み、丁稚（でっち）や大工などをして働き始めたことによって江戸の町にはさまざまな変化がもたらされた。

まず、独身男性が増えたことで飲食店が増えた。握り寿司、蕎麦（そば）、天ぷらなどの屋台文化が発展したのだ。今の感覚でいえば手軽に食べられるファストフードだろう。

また、家族を養うほどの金も土地もないから生涯を独身で過ごす男性も多かった。そのために欲求を解消する場として花街が誕生した。トップクラスの芸者と一晩を過ごすには何十両という大金が必要だったが、それは大商人などのごく一握りの上流階級の話。懐の乏しい庶民でもショートタイムで利用できるシステムがあったため、里山から流れ着いた男たちもそうした場で性的欲求を満たしていたのだろう。

これが家畜なら去勢すれば大人しくなるが、離村した男性を去勢するわけにはいかない。江戸幕府が遊郭を公認したのは、こうした事情からであろう。

楽にはなりきれない日本の農業事情

また、同じ農耕でも、日本と西洋では条件が大きく異なる。

ヨーロッパ諸国で広く栽培された小麦は、基本的には広い平地に種を蒔き、収穫すればいい。平地だから人間が細かく手を入れずとも、牛馬や機械で対応がしやすい。対して、日本の里山では山の斜面などの傾斜地に、階段状に田んぼを作らざるを得ない。

日本の原風景にもよく挙げられる棚田だが、あれも傾斜地をなんとか活用して収穫量を上げようとした先人の苦肉の策だろう。傾斜地はランダムな作りで一区画の面積も狭いため、牛馬や機械での作業が難しい。結局のところ、人間が自分たちで頑張らなければならないのだ。

もちろん、そうした条件下でもより楽に、より早くできる方法を模索した日本人はいた。ただし、面白いのは「より多く」という方向にはあまり走らなかったことだ。理由は単純。より多く収穫するためには人手が足りなかったからだ。集落の人が食べられる量があれば、とりあえずそれでいい。これが里山で暮らす多くの日本人の生き方だったと考えられる。

棚田があるのはもちろん日本だけではない。ベトナムのサパという町の周辺には少数民族の村があり、山間(やまあい)に見事な棚田が広がっている。山のてっぺんまで段々状の棚田がぎっしりと並ぶ風景は近年観光地としても人気だが、これも標高１６００メートルという厳しい環境下で生きようとした人々の努力の成果だろう。

最終的にはとにかく人間がやらざるを得ない。真面目に働けば何とかやりくりできるところまではできたわけだ。長時間労働でもサービス残業でも、根性と人海戦術で何とか乗り越えてきた昭和の価値観は、ルーツを探れば里山の精神に行き着くのだと思う。

「お天道様」の目は怖いか？

最近ではあまり聞かないが、かつての日本では「お天道様が見ている」という物言いがあった。「他の誰が見ていなくてもお天道様は見ているのだから、不正をしてはいけない」という意味だ。お天道様はもともとは文字通り太陽を指しており、キリスト教でいうところの「神様が見ているのだから悪事をしてはならない」という意味だったのだろう。ところが、いつのまにか日本ではお天道様が「世間」に替わり、神様の代わりが世間様という社会になってしまった。

悪いことをしても、世間にバレなければいい。誰にも見られていなければマナー違反をしても構わない。これは「主人にバレなきゃなにをやったっていいはずだ」という発想になる家畜と同じだろう。規範や正義が自分のなかにはなく、神のような高次元の存在もないから、ストッパー役として機能するのが世間の目しかないのだ。

神の目はないが「世間」の目はある

個人的な体感としては、「お天道様が見ている」といわれて「じゃあ、あらためよう」と思い直すのはギリギリ昭和生まれ世代まではないだろうか。

居酒屋が並ぶ繁華街に「立小便禁止」「嘔吐(おうと)禁止」といったポスターが貼られているのを見たことはないだろうか？　こうしたポスターに効果がない時によく用いられたのが、「目」のポスターだ。大きな目玉のイラストの横に「誰かが見ているぞ」という言葉を添えたポスターや看板を、一時期は全国のあちこちで見かけることができた。今でも残っているだろう。

じつは、これが結構効くのである。「禁止」といわれても動じない酔っ払いでも、「誰かに見られている」と思うと理性が少し戻ってくるらしい。なぜなら「誰か」が「あいつ、立ち小便していたぞ」と近所の人に言いふらすかもしれないからだ。

超越的な存在がいないから、世俗的な規範に絡め取られていく。

自立性や信念がないから、従属している主人の意向通りになる。

神の目は怖くないが、世間の目は怖い。

こうした社会の空気も、日本人の自己家畜化を促進させてきた。

「マイナポイントを2万円あげるからマイナンバーカードを作ろう」といわれると、深く考えずにすぐ飛びつく。目先の得か損かでしか考えないから、政権に振り回される。もうずっと日本ではこんな状態が続いている。

同じ「天」でも中国とは事情が異なる

「天」という概念を比較してみても、中国と日本では大きな違いがある。

日本の「お天道様」はいつの間にか世間にまで成り下がったが、中国の「天」は人を超越した存在、一神教でいう神に近いものだ。古代中国では王朝が交代する時には、「天の意思によって交代する」という思想がベースにあった。王朝の上に天が存在していて、そこから命が下されるから革命には正当性がある、という理屈だ。天命が革(あらた)まるから革命なのだ。覇者に逆らう者が滅びるのではなく、天命に逆らう者が滅びるというのが中国の思想の土台にある。

江戸時代までの日本では社会システムの大規模な変革を伴う革命はなかったし、統治者の民族が変わるような革命もなかった。日本ではシステムの変革は、すべて外圧によるものだ。

幕末に黒船が到来して開国を迫った際も、多くの知識人は開国に大反対だった。生まれる前からずっと鎖国体制が敷かれてきたのだから、無理もない。武士や庶民の大多数も「武力行使で異国の船を追い払ってしまえ」というスタンスだったようだ。最終的に不利な条件で開国を呑んだのも、アメリカの巨大蒸気船と圧倒的な軍事力を目の当たりにして、戦ったら負けることが明白になったからだ。

戦後に天皇制から象徴天皇制に変わったのも、第二次世界大戦の敗戦によって連合国軍の言いなりになった結果に過ぎない。民主主義ですら、フランス革命のように怒りを起点にして自分たちで勝ち取ったものではなく、上から降ってきたようなものだから扱いがいまだに下手だ。市民革命を成功させた経験がないから、民主主義的な発想はなじまない。「国のことは偉い人たちが決めることだ」という社会に染み込んだ空気が受け継がれているのだ。

ヨーロッパであればローマ教皇がいる。政治的なことにはほとんど言及しないものの、いまだに存在感は強いし、それゆえに政治権力に利用される機会もある。

一方で、日本ではそれほどの影響力を持つ聖的な権威がないため、時の政治権力者のやりたい放題になっているのが現状だ。そういう部分も日本人の自己家畜化の特徴であり、現存の権力に従属するパトスが日本ほど強い国はない。

天皇の神性を勘違いしたマッカーサー

日本人の自己家畜化を考察していく上で、天皇の存在についてもあらためて考えていきたい。

第二次世界大戦で負けた国のトップを、アメリカはなぜ生かしておいたのか？　実際、ソ連やイギリスは戦後に天皇への厳罰を主張しており、アメリカ国内でも処刑を望む世論が強かった。だが、アメリカは天皇を処罰しない決断を下した。

アメリカにとって日本は、神風(しんぷう)特攻隊のような自殺行為を仕掛けてくる不可解な国という認識だったに違いない。そのトップに立つ昭和天皇を死刑に処してしまえば、国民の憎悪感情はアメリカに向かってくるだろう。ゲリラ行為が多発して統治が困難になるかもしれない。それならば、ひとまずは政治権力から切り離した場所で生かしておくのが得策だろうとの判断だったようだ。

だが、それはアメリカ側の勘違いに過ぎなかった。天皇を神だと心底信じていた日本人は、実際のところほとんどいなかったからだ。もちろん、戦中には「天皇陛下万歳」と教え込まれ、天皇のために命を懸けるようにと当時の人々は教え込まれた。だが、そもそも地方の里山で、自給自足で暮らしていたような庶民にとって、天皇への敬意などは後付けの表層的なものに過ぎない。

天皇制が象徴天皇制に切り替わったからといって、多くの国民から激しい反対の声が上がったという記録もない。それよりは目の前の今、今日を生きることに皆が必死だったからだ。

それどころか、「天皇陛下万歳」と叫んでいた人々が戦後は一転して「マッカーサー万歳」となったのだから、日本人の切り替えの早さたるや恐るべしだ。崇（あが）める存在が変わっても、抵抗なく受け入れてしまう。これこそが日本版の自己家畜化の典型例だろう。

恨みが薄れやすい国民性

そもそも、本来であれば日本はアメリカにもっと恨みを募らせてもいいはずだ。

広島、長崎に原爆が投下されたことによって、約21万人もの命が奪われた。核兵器が実戦で使用されたのは世界でもこの2都市だけだ。原爆投下から75年以上が過ぎた今でも、被爆の後遺症を患う人々がいる。

被爆者やその親族だけでなく、日本国民全体が「原爆を落としたアメリカを絶対に許さない」「あいつらは悪魔だ」というパトスを抱くようになっても何ら不思議ではないだろう。他の国であれば、自らの命を賭してでもテロ行為に走る人も出てくるかもしれない。

だが、大半の日本人はあっという間に恨みを風化させてしまった。

そもそも太平洋戦争を開戦したこと自体が、日本にとっては合理性のない無謀な賭けだった。

太平洋戦争開戦前の日本とアメリカの国力の差を比べれば一目瞭然である。当時のアメリカ国内の原油生産量は、日本の約700倍。GDP（国内総生産）も7倍以上の開きがあった。短期決戦であれば勝てる見込みもゼロではないかもしれないが、総力戦になった時にどちらが勝利するかは明白だ。

もちろん、当時の知識人の多くは、日本の敗戦が必定であることを知っていたはずだ。けれども世間の空気が、それを口に出すことを決して許さなかった。ここにも世間こそを真の「主人」とした日本人の自己家畜化が表れている。

一度決めたことを覆せないから悲劇が起きる

太平洋戦争の開戦が迫る１９４１年に、日本政府は「金属類回収令」を公布して、１９４３年に施行された。鉄や銅を溶かして武器や弾丸の材料にするため、全国の寺から強制的に梵鐘（ぼんしょう）を供出させたのをはじめ、偉人の銅像、学校のストーブ、時計の鎖、金ボタン、メガネなど、細々（こまごま）とした生活品までもが回収された。

物資不足が明白になった時点で日本が白旗を上げていれば、あそこまで国が焼け野原と化すことはなかっただろう。空襲によって多くの命が失われ、二度も原爆を投下される前に、戦争をやめる決断を下すこともできたはずだ。少なくとも無条件降伏するよりは、もっとマシな未来があったとしか思えない。

けれども、自主性が薄く、従属性が高い日本人はそうした合理的な判断は下せなかった。ウクライナに攻め込んだ今のロシアの状況も、それに近いものがあるだろう。プーチン大統領のウクライナ侵攻の判断に、合理性はほぼないといっていい。

結局のところ、太平洋戦争に血道を上げていたのは己の命令一下、国民を思い通りに動かすことの束(つか)の間の快感に酔っていた一部の軍部のトップの連中だけで、彼らとて本気で勝てると思っていなかったに違いない。国民は徴用され、命令通りに駒のように動かされたに過ぎない。だから日本の降伏が明らかになり、軍のトップが拳を下ろせば、国民は一斉に、簡単に戦争をやめた。もともと、やりたくなかったのだから当然だ。ベトナム戦争でアメリカに徹底抗戦の構えで挑んだベトナム人のように、「自分たちの力で日本の勝利を手にしよう」と躍起になった人はごく少数だろう。日本に勝利したあとでベトナム戦争を仕掛けたアメリカは、日本とベトナムの国民の感性があまりに違うことに驚いたはずだ。そのあとにアメリカが侵攻したアフガニスタンやイラクも、日本ほど御しやすくなく、一貫してアメリカの言いなりになっているのは日本くらいだろう。

一度決めてしまったことは覆せない。惰性で行けるところまで行って、もしかしたら勝てるかもしれないという一縷（いちる）の望みに懸ける。それでいて、上が負けたと決めてしまえば、さっと変わり身が早く転向する。こうした思想性の欠如と節操の無さは、太平洋戦争の頃からちっとも変化していない日本の特徴だ。

「とりあえず生きられたらいい」お上に弱い日本人の性質

とはいえ、地理的条件を考慮すると日本人のこういった国民性が形成されたのも自然といえば自然な流れなのかもしれない。

周囲を海に囲まれた島国だからこそ、長い歴史のなかで他国に攻め込まれたことはほとんどない。国境が地続きにあるヨーロッパ諸国は、常に隣国から攻め込まれるかもしれないという危機感を持たざるを得なかったが、元寇のあと、黒船がやってくる江戸末期まではそうした切実な事情もなかった。他国が見えないから、自分たちが世界的に見ればマイナーな民族であるという自覚もない。

戦後は連合軍の占領下に置かれたが、人権の概念がない中世のように、奴隷扱いされることもなかったので堪忍袋の緒が切れることもなかった。天皇がマッカーサーに変わっても、とりあえず一番強い奴に従っていれば生き残れるだろう。時の政権、お上のいうことを聞いてウジウジしているほうが生存確率は高い。そう考えるのは生き残るための自然な流れかもしれない。

守るべき信念や信仰もないから、テロも起きないし革命も起きない。そして大胆な意思決定はなかなか下せない。そのような行動様式が、江戸時代から現在までの400年ほどずっと日本人の習い性（ならいしょう）になっているのだろう。

いずれにせよ自分の頭で考えられないという意味では、幼稚のひと言に集約できる。戦後の日本を間近で見て、「日本人はまだ12歳の少年である（＝精神年齢が成熟していない）」と表現したマッカーサーもそう感じたのだろう。

新たな主人とエコノミックアニマル化

話をいったん戦後に戻そう。

連合国軍最高司令官総司令部（GHQ）が日本を占領下においたのは、1945年から1952年までの7年間だった。この間、GHQは憲法改正や五大改革（女性参政権の付与、労働組合の奨励、教育の自由主義的改革、秘密警察の廃止、経済機構の民主化）の指令を出し、特別高等警察、治安維持法、治安警察法などを廃止した。言論や労働運動においても日本人は自由を取り戻したのだ。

やがて1955年頃から高度経済成長期に突入すると、経済上の利潤追求を第一として異様なアクティブさで活動するようになった日本人は、欧米人から「エコノミックアニマル」との蔑称（べっしょう）で呼ばれるようになる。

これは国にとっては経済が、個人にとっては仕事が、新たな「主人」になったという見方もできるだろう。ともあれ高度経済成長期の日本における仕事とは、「みんなと同じこと」をすることであった。工場で製品を大量生産するにあたって、個性やオリジナリティは不要だ。それよりはみんなと同じように、同じものを作れることに価値があった。

「みんな」至上主義

「みんなのために、みんなと同じことをやる」という教育は、日本人の感性とぴったり合致した。江戸の里山の頃から受け継がれてきた考え方であると同時に、富国強兵を掲げた明治期の集団主義教育とも重なる下地があったからであろう。集団で暮らすためには、温和な家畜のように自主性がないほうがよい。

社会の制度も日本人の自己家畜化を後押しした。成人男性にとっては仕事が人生の中心であり、福利厚生などの社会制度も「会社員と専業主婦」の家庭を標準にして設計された。父が大黒柱となって生活費を稼ぎ、母が家事・育児・介護を一手に引き受ける。いわゆる「日本の伝統的家族観」も、突き詰めればせいぜい明治〜昭和のモデルに過ぎないのだが、選択式夫婦別姓や同性婚に反対する自民党議員の大半はいまだにこの幻影にシンパシーを感じているようだ。

海外のビジネスパーソンからはエコノミックアニマルと皮肉られても、当の日本人たちは働くことに価値を見出し、全力で仕事に向き合っていたはずだ。なぜならそれが「お上」が提示する新たな美徳であり、指針であったのだから。

さらに好景気に沸く1980年代には、大企業のサラリーマンは「気楽な稼業」として認知されていく。大企業の社員であれば、年功序列で自動的に昇進できた。

社畜＝現代版の家畜

だがバブル崩壊後、1990年代に入ると日本社会の様相は徐々に変わっていく。エコノミックアニマルから一転して、家畜ならぬ「社畜」という俗語が広く普及し始めたのもこの頃だ。

「会社＋家畜」を語源に持つこの俗語は、サービス残業も転勤もいとわずに働く会社人間をバカにする意味合いを持つ。エコノミックアニマルという言葉を使うのは海外のビジネスパーソンだったが、社畜は労働者本人が自分の労働環境を自虐的に表す言葉として「ブラック企業」と同様に広まった。社畜＝「現代版の家畜」と表現してもいいかもしれない。

モーレツに働いて高度経済成長期を支えたエコノミックアニマルは当人たちにとってはポジティブな意味合いを持ち、社畜というネガティブな言葉とはベクトルが真逆に思えるかもしれない。だが、自らの権利から目を背けて満員電車ですし詰めにされ、組織のために歯車になる状態を継続させることは、やはり家畜的な「自主性の放棄」という点で選ぶところがない。

SNSを誹謗中傷の手段にする人たち

このように数百年にわたる紆余曲折を振り返ってみると、日本人の自己家畜化にはそれなりの必然性があることは理解できるだろう。野生動物としてリスクを背負って生きるよりも、群れを作って集団で困難解決に向き合ったほうが生き残る確率は上がるし、結果として社会全体のパフォーマンスも状況が変わらなければ向上するだろう。

だが、煮詰まった集団主義が行き着いた先の現在の自己家畜化は、状況が激変した世界情勢のなかで、その弊害がさまざまな形で表れてきたのも事実だ。

自らを「社畜」と卑下する社会人は一時期に比べれば減った。書店の自己啓発書コーナーには「自分の人生をハックしろ」「自己肯定感を高めよ」等々の文言が躍っているが、いずれも小手先の技術論が多い印象を受ける。誰もが確固たる拠り所を探しながらも、それを見つけられずに漂流しているのかもしれない。

また、自己家畜化が極まった集団の弊害として近年目立つようになったのは、SNSの誹謗中傷（ひぼうちゅうしょう）だ。

抑圧されている人間にとって、匿名で世間に物申せるSNSは絶好のストレス解消ツールだ。不倫が発覚した芸能人を叩き、自分と意見が異なる相手は執拗（しつよう）に攻撃する。「それはマナー違反だ」「常識的に考えればありえない」「自分ならそうしない」と他者を見下して快感を得ることで、ようやく呼吸ができるようになる。そうした人があまりにも多すぎるのが現代日本だ。

「みんなで家畜になればいい」という暗い情熱

多くの日本人が刷り込まれてきた「みんな同じ」の集団主義教育は、日本社会における多様性の広がらなさとも直結している。選択式夫婦別姓も、選択式なのだからそうしたい人はすればいいし、したくない人はしなければいいだけの話だろう。

同性婚も同じだ。女性同士、男性同士、女性と男性のいずれの組み合わせであっても、結婚したいカップルはすればいいし、そうでないカップルはしなければいい。異性カップルでも同性カップルでもそこは等しく同じであるべきだ。

それなのに、多様性に免疫がない日本人は、「自分が気に入らない」という一点だけで理屈を並べ立てて反対する人が多すぎる。自分の人生や損得には一切関係なくても、またそれによって利益を得られなくても、だ。

アイルランドの心理学者サイモン・マッカーシー＝ジョーンズは、著書『悪意の科学　意地悪な行動はなぜ進化し社会を動かしているのか？』（インターシフト）において、人間の悪意には「反支配的悪意」「支配的悪意」の2種類があると述べている。

前者の反支配的悪意は、不公平に対する怒りや、権力志向の人を罰したいという感情によって引き起こされるものだ。

対して、後者の支配的悪意は、「自分が損をしてもいいから、相手に損をさせたい。そうすることで相手より優位に立ちたい」という支配的な欲求に基づく悪意だという。「自分が多少損をしてもいいから、相手がもっと損をするのであればそちらを選ぶ」という選択をする人は決して少なくないという。

自分と同じか、自分より下の領域まで相手を引きずり落としたい。自分が家畜として主人に従属し、下層にいる分には構わないが、最下層の人が自分と同じになり、自分が最下層になるのは嫌だ。

努力して上昇する向上心や熱意は持ち合わせていないが、下降したくないという感情は人一倍強い。

この悪意もまた、一種の歪んだ自己家畜化の表れだろう。

こうしたタイプの人間にとっては、もしかしたら「みんなで家畜になっている」状態が最も幸福度が高いのかもしれない。

もちろん、どこの国にもどの時代にも、この種の悪意は存在するだろう。だが、失われた20年、30年と経済の低迷が続くなかで、日本ではとりわけこの種の悪意を目にする頻度が増えてきた。「人の成功よりも人の失敗談が聞きたい」「公務員の給料は下げるべきだ」「性的少数者を特別扱いするな」こうした言説はすべて何の生産性もない支配的悪意のはけ口だと考えていいだろう。

YouTuberは主人が喜ぶ芸をするイヌ

また、自己家畜化が進んでいくなかで、「面白さ」という新たな軸に至上の価値を見出す人の割合も増えてきている。最たる例がYouTuberの台頭だ。

人気が出る動画の共通点は、とにかくウケることだろう。チャンネル登録者数が増え、動画の再生回数が増えれば収益に繋がる。面白ければいい、目立てばいい。それ以外のモラルやルールは知ったことかと極端に走った人々が、「迷惑系」「暴露系」と称されるYouTuberだ。そうしたエンターテインメントは賞味期限も短い。動画を観て刺激を受けても、あっという間に消費されて消え去ってしまう。

ほとんどの場合、YouTuberが撮るのは自身や自分のペットの動画であり、そこには「どうすれば視聴者にウケるか?」という視点が必ずある。この構図は「主人に一番好かれる芸はどれだろう?」という発想になっている飼い犬と同じだろう。主人の目を意識することで、自分の行動を選び取っているのだから。

そうなると、思考や行動の軸も「自分」ではなく「他人」になっていく。面白い奴、目立つ奴こそが偉いのであって、隠れて善行を積むような感性は無意味としか思われない。「誰が見ていなくても、お天道様が見ているはずだ」「誰からも褒められなくても自分が楽しんでいるからいい」という感性は、もはや過去のものになっていく。

誰かに褒められたい、注目されたい、認められたい。そうでなければ人生の手応えが感じられない。もはやこの境地こそが、精神的な自己家畜化が行き着く最終地点である。

少なくとも、世の中の全体がそうした価値観へと重心を移していることは、この社会で生きる人全員が自覚しておいたほうがいい。

国全体が低俗なバラエティ番組と化している

YouTuberに罪はないが、「一瞬の面白さに至上の価値を置く」という意味でもう少しだけ例を挙げたい。

面白さを追求する人生はもちろんあっていい。その動画に一瞬心を救われる人もいるだろう。だが、国民全員が面白さの方向しか見なくなったら、国の基盤は間違いなく脆（もろ）くなる。

笑いを伴う「面白さ」というのは今、この時の一瞬の快楽に過ぎない。面白さだけを追求する価値観は、すべてをバラエティ番組化することにも似ている。そうなると、社会全体を少しでもよくしようとか、未来の世代のために自分はなにができるかといった公益や長期的な視点がどうしても欠如してしまう。

平時であれば、それでも社会は回るだろう。だが、ひとたび非常事態に陥ると、その社会はたちまち危機に瀕してしまう。コロナ禍の数年間を思い返すだけでも、すでにその事実は証明されている。社会の構成員全員がそのような使命感を持つ必要はないが、一定数はそうした人材がいなければ国も社会も成り立たない。

ＡＩ（人工知能）やロボットが人間の労働すべてを肩代わりしてくれる未来が到来しても、それは同じだ。ＡＩが最も得意とするのは将棋やチェスのようにルールが明確で限定された場である。有限のルール内だからこそ、あらゆる可能性を洗い出せるのがＡＩの強みだ。

一方で、現実世界は常に予測不能なことが起きる。前代未聞の事態に対処するのは、大量の情報を分析できるＡＩではなく、やはり自立した頭で考えられる人間しかいないのだ。

国というまとまりが崩壊する未来がやってくる可能性

第２章の終盤でも触れたが、このままのペースで日本人の自己家畜化が加速度的に進行していけば、日本という国は名実ともに他国の属国になってしまう可能性も決してゼロではない。自立心や独創性、思考する努力が欠如したまま自己家畜化して生きるということは、そういう未来へと歩みを進めているのと同じだからだ。

他国にとっても事態は他人事ではないだろう。宗教が絶大な力を持っていた時代であれば、それが国を束ねるひとつの要（かなめ）として機能していた。だが、科学とテクノロジーが進化した今の時代の宗教にはそこまでの力はもう期待できない。

一方で、富の分配は不均衡なままであり、貧富の格差はどの国でも広がり続けている。かつては市井の人々であっても、国の将来を憂えて熱心に意見を交わし合っていた時代があったが、いまや多くの現代人は目先の楽しいこと、ＳＮＳで日々起きている些末な炎上や刺激ばかりに意識を奪われ続けている。

人類全体にこうした流れが広がれば、いずれ待ち受けるのは国というまとまりが崩壊する未来かもしれない。

では、そうした絶望的な流れに抗うために、個々人やコミュニティにできることはなにかあるのだろうか。

次の最終章では、現在を基点として「自己家畜化の行き着く先」について考察していきたい。

第4章

自己家畜化の行き着く先

自己家畜化が進んだ未来で待ち受けるもの

人類の進化の歴史は、ヒトの自己家畜化の歴史でもある。

今後、私たちが暮らす社会では、今よりもっと「役に立たない」人々の割合が増加していくだろう。料理ができなくともコンビニに行ってお惣菜を適当に買えばいい。欲しいものはAmazonで注文すれば家に届く。インターネットを覗けば玉石混淆の情報が勝手に流れ込んでくる。仕事の作業や思考の一部すらも、今ではAIが担ってくれる。日本でもベーシック・インカム（後述）が導入されるようになれば、労働をしなくても生きられる未来がやってくるかもしれない。

ここまでの人類の歴史は、常に自己家畜化とパラレルで進行してきた。農耕牧畜生活は人類に定住を促し、集団に階級と貧富の差が生まれ、分業化が進み、貨幣によって生産物を交換できるシステムが誕生した。やがて人々を束ねる有効な手段として宗教が各地で発生し、国家が発展した。

そして今、私たち現代人の多くは、「主体性を喪失したままでも生きられる」時代に突入している。そうした自己家畜化の最先端を行くのがおそらく日本人であることも、ここまで繰り返し述べてきた。

では、ここから先の未来にはどのようなシナリオが考えられるのか。

ヒトの自己家畜化が加速度的に進行しているという補助線を引きながら、再度、私たちの足元と少し先の未来を点検していこう。

コロナ禍がもたらしたプラス面に目を向ける

ヒトと自己家畜化の関係性について考えた時に、直近の大きな出来事として、コロナ禍が社会システムと人々の意識に与えた大きな影響は見過ごせないだろう。
コロナ禍以前、一般的な会社員の働き方は、朝9時に出勤して17時に帰るのが一応のスタンダードモデルとされていた。働くための場所に毎日移動し、同僚や上司、取引先と協働しながら仕事を進め、家に帰って休息を取り、翌日は再び出勤する。毎月、安定して支払われる給与は、こうした義務の代価であった
ところが、新型コロナウイルスの流行が世界的パンデミックを引き起こしたことによって、多くの業種がリモートワークを導入せざるを得なくなった。結果、意外にも

「やればできる」ことが明らかになり、働き方の常識は大きく変わった。オンラインでカバーできる部分が思いのほか多かったこと、出勤はもう絶対の義務と捉えなくてもいいことに、多くの人がコロナ禍で気づいただろう。

これは日本人の自己家畜化の進行ペースを落とすという意味では、多少なりともよい作用をもたらしたように思う。

もちろん、厳密にいえばオンラインと対面は完全なイコールとはなりえない。オンラインのコミュニケーションだけでは取りこぼしてしまう微妙な要素もあるし、そもそも出勤して対面で向き合わなければ成り立たない業種もある。

けれども、多くの業種で出勤と対面作業が必要条件ではないことが可視化されたし、「会社の言いなりにならなくても、自分の働き方は自分で決めることができる」という部分では、わずかながらも個々人が自身でコントロールできる裁量権を持てるようになった。

このような実体験を伴ったことで、働き方や住む場所、人生で大切にしたいことを再考した人も少なくないだろう。リモートワークの普及と働き方の多様化によって、自らの人生に主体性を取り戻し、移住や転職を決断した人はおそらくあなたの周囲にもいるはずだ。

ハイブリッドな働き方が社畜を駆逐していく

週に1日は出勤、残りはリモートワークのようなハイブリッドな働き方が、今後ますます普及していくことはもはや必定である。フルリモート勤務が可能な会社であれば、社員は地方の離島や海外にいる、なんてこともごく普通になっていくだろう。優秀な経営層がフルリモート勤務の社員がいても全体の仕事が回るシステムを整えてしまえば、そう難しいことではないはずだ。住む場所の自由、出勤形態の自由が選べるようになれば、精神的な自己家畜化の進行を多少は止めることができるだろう。

「平日は会社に出勤して、このチームで仕事をしなさい」となにからなにまで上から指示が降ってきてそれをこなすよりは、「私はこうした勤務形態と給与額を希望するが、どこまで可能か」という前提で会社と折衝したほうが、労働者のメンタルヘルスは健(すこ)やかに保たれるはずだ。

もちろん、会社のトップとしては社員を出勤させて管理できるほうがなにかと楽だから、リモートワークにそこまで乗り気ではない経営者が多数派かもしれない。

たとえば、出社推進派としてわかりやすいのは、イーロン・マスクだろう。

コロナ禍がひとまず明けた2022年、マスクは「出勤して働け、さもなければクビだ」とのメールをテスラやスペースXの従業員に送り付けて話題となった。要するに「自分が目の届く、管理しやすい場所に来い」というのが彼の真意ではないだろうか。

だが、そうしたマスクの発言は世間に受け入れられるどころか、各方面から一斉に時代遅れであると反発された。もはや出社と労働をイコールにした考え方が世間一般に受け入れられないことは明らかになった。

「やりたいことが見つからない」のは飼いならされた弊害

働き方が多様化し、個々の裁量権が増えていくと、人間は主体性を取り戻しやすくなる。硬直化したシステムのなかで、ただコントロールされるだけの家畜的存在から抜け出せるようになるからだ。自らの人生をコントロールしようとする意思が生まれるということは、脱家畜化への一歩といってもいいだろう。

ところが、日本の社会においては「自分がなにをやりたいのかがわからない」という若者があまりにも多い。いや、若者のみならず、中高年でもそうだろう。定年退職したあとの男性が「なにをすればいいかわからない」と、途方に暮れて日々の時間を持て余してしまうのも、これと同じだ。

自分の欲望が向かうベクトル、人生で手に入れたいもの、大切にしたいこと、逆に絶対にやりたくないこと、許せない価値観などが、もはや自分の頭ではわからないし決められない。従順に飼いならされた家畜であればそれでも生きていけるが、不安定な時代を生きる個人としては非常に危うい状態といえるだろう。

自己家畜化に貢献する日本の公教育

こうした人間が増えた責任のかなりの部分は、日本の公教育にある。

小学校に入って真っ先に教えられることは、「先生のいうことを聞く」「友達と仲良くする」といったたぐいのことだ。まずは上と横に注意を向け、社会のルールやマナーを学んでいくことが日本の公教育の最重要な方針だ。

そうした土台をがっちりと固めたあとで、中学受験、高校受験、大学受験と次々とノルマを課していくのだから、「自分は何をやりたいのか」「自分はどんなことをしていると楽しいのか」といった自分の生き方を思索する時間的余裕はない。常に与えられたレールの上を走ること、正解がある問いを最短の時間で解くことが最も重要だと思うようになるのも当然だ。

そういう子どもが、正解があらかじめ与えられていない社会に出ると、「この先、自分は一体なにをやったらいいんだろう」と思い悩む大人になる。

やりたい夢があるから起業する、レールから外れることもいとわない、と主体的に、自らの道を選べる人は昔より増えてきているかもしれないが、全体から見るとまだまだ少数派だろう。

日本の学校はギフテッドには息苦しい

また、日本の学校教育とギフテッド（高い知能や創造性、特異な才能を持つ優秀な子ども）との相性は端的にいって最悪である。

日本の教育システムは大多数の生徒に合わせたカリキュラムを提供することを重視しているため、枠からはみ出たギフテッドの子どもたちが自分のペースで学び、個々の能力を最大限に発揮することが可能なようにはできていない。

いくら才能にあふれていても、適切な指導や支援が受けられないのであれば宝の持ち腐れだ。表面的には「一人ひとりの個性を育もう」と謳っていても、現実の教室のなかでは「先生のいうことを聞いて周囲の空気を読む」ことを強いられるのだから、ギフテッドの子どもたちは退屈や挫折感を抱え、学業に対するモチベーションを失ってしまう。それが引き金となって、成績が低下して劣等生になってしまうこともあるだろう。

すでに多くの教育者はこの問題に気づいているはずだが、教育システムの抜本的な改革を阻む文部科学省という壁が彼らの前に立ちふさがっている。

才能は学校内では阻害されるが、外では歓迎される矛盾

ところが、学校という枠組みから一歩外に出てしまえば、ずば抜けた能力を持つ子どもたちは一躍脚光を浴びる存在になる。スポーツや将棋、囲碁の世界では、定期的に天才が現れてはマスコミでもてはやされる。その領域であればどれだけ伸びても、周囲の大人にたしなめられたり怒られたりすることがないからだ。

これらの入り口は多くの場合、習いごとなどのプライベートな出会いがきっかけとなるため、熱中できる子はリミットを解除してとことん打ち込めるだろう。凸凹（でこぼこ）をなるべく削ってならし、従順で管理しやすい子どもを「いい子」扱いする学校教育とは根本から異なっているのである。

人間の個性は8歳前後までにほぼ決まるといわれているが、それを考えるとやはり日本の教育制度は再考の余地があるだろう。「自分で頭や体を動かすよりも、大人にいわれたことをやっているほうが楽」という思考が、小学校に入れば深いところにまでインストールされてしまうからだ。少なくとも、現行の教育制度が強固に残っている限りは、日本人の自己家畜化の促進は避けられそうもない。

人は得意な道で伸びればよいのだ

昭和天皇に倫理の講義をした思想家・教育者の杉浦重剛（すぎうらじゅうごう）は、「人は得意な道で成長すればよい」という至言を残している。

日本人と自己家畜化の関係性を考えると、今こそ、この言葉を見直していいのではないだろうか。

人生の時間には限りがある。それならば得意なことを一生懸命やって伸ばし、不得意なことはなるべくやらないようにする、という生き方がもっと奨励されていいはずだ。好きなこと、得意なこと、興味が持てることであれば、人間は自発的に学ぼうとするし、やりがいも見出せる。

自分のやりたいことや理想の姿、進みたい方向性が見えてくれば、先生や親、上司や会社の言いなりになる以外の人生の選択肢も自然と浮かび上がってくるだろう。道がないのであれば、自分で切り開けばいいという気概だって生まれてくるはずだ。こうした前向きな心持ちの変化は、精神的な自己家畜化からの脱却にも繋がってくる。

ところが、日本の教育システムでは、得意なことを伸ばすよりも、苦手なことを克服させようとするプロセスのほうが明らかに比重が高い。

得意な数学の宿題を10分で片付けてもたいていの親はさほど褒めてくれないが、苦手な英語を3時間かけて頑張れば「苦手なことなのに頑張って偉いね」と褒められるのである。私から見れば、この方法は完全に逆効果にしか思えない。

この場合、より力を入れて伸ばすべきは10分で効率的に片付けられた数学であり、不得意な英語は赤点さえ取らなければいい、くらいの発想に切り替えるべきだろう。人間には誰しも適性があるのだから、10分で片付く数学をもっと学んでレベルを上げたほうがずっと高みを目指せるし、学び自体が楽しくなるはずだ。「とにかく頑張ったほうが偉い」という努力のほうが評価される学校教育は、そろそろ本格的に方針転換すべきだろう。


移動できるメリットをフルに活かして能動的に適応せよ

結局のところ、人間が幸福や充実感を実感できるのは、「自分の才能を発揮できる場所」を見つけた時なのである。

ダーウィンの進化論は、「生物は環境に適応することで進化していくものであり、適応できない個体は淘汰される」という思想に基づいている。これが「自然淘汰」の概念であり、環境への適応が種としての生き残りと繁殖に大きな影響を与えると述べた。速く飛べる虫のほうが有利な環境であれば、速く飛べる虫が生き残り、そうでないものは子孫を残せず淘汰されていく。生まれ落ちたその場所に、より適応できたものが生き残ってきた、という発想である。

だが、私はこの説に全面的には賛同できない。なぜなら、進化の過程では常にランダムに突然変異が生じ、その場所に適応的なものはその場所に残り、その場所に適応できないものは棲みやすい場所を求めて移動するに違いないからだ。そもそも生き物には「動く」という機能が備わっているのである。受動的適応よりも能動的適応のほうがメジャーなプロセスなのだ。

虫や動物は、暑いところに適応できないのであれば、もっと涼しいところを探して自分で移動していくだろう。暑いところでも平気な個体はそこに残ればいいが、そうでないのなら逃げ延びればいいのだ。

手足がある動物だけではなく、植物だって移動することはできる。植物は種子を風で飛ばしたり、果実を動物に食べさせてそのなかの種子を糞として排出してもらってずっと遠くの地へと移動できる。次の世代は、別の地で繁栄すればいい。「今生きている場所で頑張らなければ」なんて愚直に思い込んで我慢している生き物は、人間くらいだろう。

転職は最も身近な移動の手段

今あるシステムに無理に自分を合わせようとするのではなく、自分が無理なくフィットできて最適な状態で働けるシステムを探しに出かけてみることが大切だ。大人はその気にさえなれば、どこへだって移動できるはずだ。そのほうが人生はよほど有意義になるだろう。

現代人にとって最も手軽な移動は、「転職」である。どうせ終身雇用制度はほぼ崩壊しているのだから、今いる会社が合わないのであれば次の会社へ移ればいい。むしろ、転職という手段を持てない状態を継続させるほうが今どきは危うい。会社を替える前に、自分が働きやすいやり方、たとえば、リモートワークと出勤のハイブリッド方式の働き方に変えられないか相談してみる手だってあるだろう。

すべての動植物が長い時間をかけ、徐々にその地に適応してきたというのは誤解である。なるべく棲みやすい環境を追い求めたら、たまたまそこにたどり着いたといったパターンも多数存在しているに違いない。

こうした能動的適応という進化のプロセスを少しでも頭の片隅に留めておけば、多くの現代人の心に巣食っている家畜的感性を削ぎ落とせるようになるかもしれない。

格付けランキングがいつまでも覆らない国

もうひとつ、日本の特色のひとつとして「一度決まった格付けがなかなか覆らない」という傾向がある。

国立大学であれば東京大学が不動の首位で、２位は京都大学、私立であれば早稲田か慶應、と上位層ほど長年ランキングが固定化されているのは周知の事実だろう。

「東大を引きずり降ろしてトップを取ってやる」と意気込むような新興大学には、まずお目にかかった試しがない。

国内での格付けが変わっていないということは、流動性が乏しく活力がないということだ。翻って「世界の大学ランキング」を見てみると、アジア諸国の大学が躍進しているのに対して、日本の大学は年々順位を落として低迷している。日本トップの東大や京大であっても、国際的な評価は年々下がってきているのだ。ちなみに、学術論文の引用数ランキングでは、自然科学系の分野だと中国が現在世界1位となっており、日本はインドや韓国にも追い抜かれている状況だ。

英語力の不足、研究費の不足、それらに起因する国際的な共同研究の少なさ、文系・理系の垣根が高く学際的な研究が進まないこと、正解を素早く求めるスキルは高いがイノベーションを苦手とすることなど、理由はいくらでも挙げられる。

だが、原因を突き詰めていけば、自己家畜化が進み、個々の自立性が失われていることも決して無関係ではないはずだ。日本で一番すごい大学はどこかと国内だけで議論しても、狭い世間のなかの狭い価値観でしかないことに気づくべきだろう。

適度なストレスはむしろあったほうがいい

ヒトの自己家畜化について話をすると、「自己家畜化した状態でも本人が幸せなのであれば、別にいいのではないか」という意見が一定数出てくる。

変化は好まない。新しい場所や人間関係に飛び込むのはストレスである。与えられた仕事をいわれた通りにやっているほうが楽だ。

もちろん、いずれも心情的には理解できる。心身の健康にとってストレスは敵であり、それをいかにして回避するかは誰にとっても喫緊の課題である。そこに異論はないだろう。

だが、外部刺激がない生活は、ずっと鳥小屋で飼われているニワトリと同じである。適度なストレス（外部刺激）は、自己家畜化の進行をストップさせ、むしろポジティブな効果を人生にもたらしてくれることも覚えておいて損はない。

筋トレを思い出してほしい。筋肉を鍛えるためには、トレーニングでほどよい負荷をかける必要がある。すると翌日には筋肉痛が起きる。だが、そこでまた負荷をかければ、筋肉の細胞は破壊と修復を繰り返すことによって、次第に強く、大きくなっていく。

逆に、なにも負荷をかけなければ、筋肉は加齢とともに着実に衰えていく。ほどよいストレス（外部刺激）があるからこそ、筋肉は鍛えられるのである。

環境の変化や仕事のストレスに適度に直面することは、問題解決能力や対処力を向上させる効果もある。

どこへ移動してもストレスはゼロにはならない

ストレスがもたらす副産物についてもう少し掘り下げたい。

ストレスには脳の可塑性を高める効果があり、ストレスを受けることで脳は新たな神経回路を形成し、適応力を強化することも明らかになっている。それによって学習力や記憶力が向上し、脳の老化を遅らせることができるのだ。

自分がより生きやすい場所を選んで移動することも大事だが、場所を変えたからといってストレスがゼロになることはありえないだろう。生きている限り、人生のどこかでストレスフルな事態に遭遇することもあるはずだ。そうしたアクシデントに柔軟に向き合い、乗り越えられるかどうかも、日々の〝脳トレ〟次第である。

もちろん、過剰なストレスは心身を破壊するので、あくまで「ほどほど」という点が肝である。ウォーキングが健康にいいからといって、高齢者に毎日1万歩を必ず歩けと強要するのは明らかにやりすぎだ。

また、人によってどんな状態でストレスを感じるかは異なるため、自分の場合はどのような場面でストレスを感じ、どこまでならば耐えられるかを見極めておくことも大切だろう。

老人ホームは自己家畜化の究極形である

適度なストレスは体や心の成長を促進し、モチベーションを高める効果があると述べた。その事実を踏まえた上で考えると、現代社会における身体的なストレスのない自己家畜化の究極形ともいえるのが高齢者の介護施設、いわゆる老人ホームだ。

ひとたび介護施設に入居してしまえば、高齢者は着実にあらゆる機能が衰えていく。朝は起こしてくれるし、食事も自分で作らなくてよい。ほどよい運動や娯楽も施設側が提供してくれる。もちろん、身体機能が衰えるからこそ介護施設に入居することになるのだが、食事から排泄までひたすら面倒を見てもらうだけの存在になると、筋力や認知機能は徐々に衰え、ただ生存しているだけの状態が続くことになる。そんな状況下で自立心を持ち続けても、逆に苦痛が増すばかりだろう。当人はもう死にたいのに、なかなか死ねない（死なせてもらえない）。そして老人ホームは一度入ったら、出るという選択肢は通常存在しない。

社会における介護施設の必要性は否定しない。だが、自己家畜化という文脈から眺めると、老人ホームがヒトの自己家畜化の終着駅であることは間違いない。そこにたどり着いてしまえば、狭い小屋で生かされる家畜と人間の違いは、ほとんどあってないようなものだ。

そうした余生を回避したいのであれば、どれだけ体が億劫（おっくう）であろうとも、日々の自炊や風呂掃除くらいはしたほうが身のためかもしれない。

ベーシック・インカムとMMT

もうひとつ、現代人が行き着くであろう自己家畜化のバリエーションとして、ベーシック・インカムが考えられる。コロナ禍をきっかけに耳にする機会が増えた人も多いだろう。

ベーシック・インカムは、すべての市民に一定額の基本的な所得を、無条件で支給する社会保障政策だ。目的は経済を停滞させず、貧困層の生活を支えることである。生活保護のように低収入などの条件がなくとも、誰でも一定の所得を得られる仕組みである。すべての人に平等にというのは選別のコストがかからないので合理的なのだ。ＡＩが進歩すれば、現在の職業の大半はＡＩに奪われて、失業者が大量に発生する。働いてお金を得ることができなければ、生活ができないし、ＡＩが製品を作っても売れないので、経済は回らないし、食糧を買えなければ餓死する人も出てくるだろう。

私は日本人が餓死する未来を防ぐために最も有効な策は、ベーシック・インカムと現代貨幣理論（MMT：Modern Monetary Theory）の組み合わせだと考えている。

MMTとは、乱暴に要約するとインフレにならない限りは政府が自国のお金をいくらでも刷って経済を回してしまえという理論だ。わざわざ税金をかき集めなくても、政府が勝手にお金を刷ってしまえばいい。そこにベーシック・インカムを組み合わせれば、消費が活発化して経済が回る。物と金のバランスをうまく調整すれば、ハイパーインフレは避けられる。

ただMMTとベーシック・インカムを組み合わせた政策が首尾よく回るためには、自国の食糧や製品の生産力がベーシック・インカムの総量を上回る必要がある。食糧や製品を輸入に頼っている国では自国通貨の価値が下がってインフレになるだろう。市場にお金が出回りすぎる場合は、税金という形で回収すればよい。税金は歳出の原資ではなく、流通している貨幣の量の調整弁である。

その際、所得の低い人はベーシック・インカムに比べ税金をずっと少なくして、所得の高い人はベーシック・インカムより税金のほうが多くなるようにすればよいだけだ。

まあ簡単にはうまくいかないだろうが、AIが低コストで食糧や製品を作るのが世界的に常態になれば、ベーシック・インカムは世界標準になり、社会のシステムは大幅に変わるだろう。

働かなくていい未来が来たら人間はどうなるのか

では、そうなった時に、人間が果たすべきただひとつの義務はなにか？

そう、「お金を使うこと」だ。ベーシック・インカムの時代になると、ベーシック・インカムの８割は消費に回すべきといった法律ができるかもしれない。

誰もが等しく政府からお金をもらえるのであれば、せっせと貯金をする必要はもうなくなる。勤労も勤勉も美徳ではなく、好きな人が勝手にやっている趣味のひとつになるだろう。生活レベルを上げたい人だけがもっと働いてプラスアルファの富を手にすればいい。ここまで行き着いてしまえば、老人ホーム以上に究極の自己家畜化社会が到来するかもしれない。

わからないことはＡＩに聞き、正解らしきものを出してもらい、それに従って行動する人間が未来では大量発生しているかもしれない。最近のChatGPTをはじめとする生成系ＡＩの恐るべき進歩スピードを見れば、ありえないことではない。しかし、見方を変えれば、ブラック企業に勤める必要もなければ、ブルシット・ジョブ（クソどうでもいい仕事）をする必要もなく、自分が最も楽しいことができるわけだから、精神的な自己家畜化を脱するチャンスともなり得る。

私見では、２０５０年頃には日本でもベーシック・インカムが導入されるのではないかと見ている。

ChatGPTは自己家畜化を後押しするのか？

自己家畜化の沼から抜け出すことの困難さについて、本書では繰り返し述べてきた。

今後、技術のさらなる進歩に伴って物質的な自己家畜化が進んでいくことは、避けられないだろう。それ自体は悪いことではないし、もはや回避する術はない。

問題は、精神的な自己家畜化をどう回避するかだ。

ChatGPTでレポートを作成し、内容を見直すこともせずに平然と提出する大学生のように、技術やシステムにぶら下がり、自律的な思考を放棄する人間が増えてきたら、私たちの社会はどうなるのだろう。

新しい技術それ自体が悪なのではない。そこに依存して、頭も手も足も使わなくなる人間が増えることによって、社会にもたらされる弊害が問題なのだ。そして、日本はその傾向がおそらく顕著となるだろう。

ChatGPTの登場と、今現在巻き起こっている生成ＡＩムーヴメントは、もしかすると人類の歴史における変節点になる可能性がある。自分の人生ですら主体的に生きようとしない、精神的な自己家畜化が進んだ人間が、はたしてＡＩをコントロールできるだろうか。

ＡＩがどれだけ進歩しても「データに基づく計算装置」の枠から出ない

確かに最近の生成ＡＩの進歩は革命的であり、その可能性は驚くべきものである。あらゆる業界がこの技術を自分たちのビジネスにどう活かすかに知恵を絞っている真っ最中だ。もはや単なるブームではなく、ここから数年かけて社会のビジネスモデルを変えていく異次元の技術革新となるだろう。

とはいえ、ＡＩがどれだけ進化しようとも、根本が「データに基づく計算装置」であることはおそらく変わらないだろう。ChatGPTが最も得意とするのは、大量のデータを処理して、パターンを見出し、そこから最適解を提案する。

ＡＩは製造業や農業の現場にも応用可能で、過去のデータに基づいて、効率的な生産体制が確立されるだろう。

また、医療分野では遺伝子解析や病気の早期発見、創薬開発の効率化により、難病の治療が可能になるかもしれない。新薬の開発のように、膨大な候補の化合物から病気の原因に作用するものを絞り込む作業は、明らかに人間よりもＡＩが得意とする分野だ。遺伝子の特定や疾患の早期発見が進めば、個々人に適した治療法の開発も期待できるだろう。

盤上のゲームは得意でも後出しルールには弱いＡＩ

ＡＩの根本がビッグデータの解析とパターン認識に長(た)けた計算装置である以上、できることには限界がある。

ＡＩが最も得意とするのは、わかりやすくいえばチェスや将棋のような盤上のゲームである。ルールがすでに定められていて、制約があり、駒の動かし方が限定されているゲームにおいては、ＡＩは抜群の強さを発揮する。

しかし、たとえば生物の進化は盤上のようにルールが決まった状況で起きるものではない。さまざまな要素が複合的に絡み合い、途中でルールが変わってしまう。それゆえ、ＡＩに「この生物はどう進化しますか？」と尋ねても、現行の材料をもとにした組み合わせのパターンしか提示できないだろう。

将棋であっても、ルールを変えてしまえばＡＩの賢さは半減する。

たとえば、勝負の途中のあるタイミングで、じゃんけんをして勝ったほうが新たなルールをひとつ決めてもいい、というイレギュラーなルールを設けたとしよう。そうなった時に勝ち目が出るのは人間のほうだ。どんな変なルールが出てくるのか予測できない条件下では、過去のデータの威力は減退する。

AIと芸術は相性がいいか

画像生成AIの登場によってイラストレーターやアニメーターの仕事が奪われるという意見も出ているが、AIは芸術を席巻できるのだろうか。

「りんごをゴッホ風に描いて」と指示を出せば、タッチを模倣して絵を生成してくれるだろうが、しょせんパターンの組み合わせによる似たような紛い物と思うか、面白い絵と思うかは観る人の主観による。AIで俳句を作らせれば、それこそすさまじい数の俳句を作るだろう。しかし、俳句は5・7・5の文字の組み合わせだから、AIが作ったからといって紛い物というわけではない。

一時期の現代音楽が調和を破壊した不協和音のようなものばかりになったのは、人間が聴いて心地よいと感じる音の組み合わせがひと通り出尽くしたからだろう。

構造主義的見地からは、新しいものはすでにあるものの新しい組み合わせということだから、AIにも活躍の余地はある。

人類（ホモ・サピエンス）の歴史はおよそ30万年であり、その間にありとあらゆる分野で人々は組み合わせを試行錯誤してきた。そういう観点からは、AIが作る芸術も人が作る芸術もさして変わらないのかもしれない。ただし、ビッグデータの組み合わせから外れたまったく新しい芸術はＡＩには作れない。人間に作れるかどうかも定かではないけどね。

どこまで行っても寿命予測は不可能

結局、どれほどＡＩが進化しようとも、解決不能なものは残る。たとえばＡＩは個人の寿命や死期を予測することはできない。個人のＤＮＡをすべて解析できても、「私はいつ死にますか？」という問いに答えられるＡＩは存在しない。現時点での年齢と平均寿命から目安は割り出せても、「あなたは20年後の何月何日、何が原因で死にます」といった予測は絶対に立てられない。

生物が途中で幾度もルールを変えながら進化してきたように、人間の生命には幾多（いくた）もの複雑な要素が絡まっているから、それも当然だ。コロナ禍を予測できた人がいなかったように、社会はよくも悪くも偶然に変わるものだ。ＡＩがどれほど優秀になろうとも、有効な範囲には限界がある。

政府が率先して日本国民を奴隷化している

日本社会の自己家畜化に大きな影響を与えている一因として、政府がすでに国民のほうを向いていないことにも注目すべきだろう。

戦後から1970年代までの日本人は、2020年代の今から振り返ると考えられないくらいに政治運動に積極的な市民が目立っていた。日本政府が日米安全保障条約の改定を進めた際に起きた安保闘争をきっかけに、市民が政府に対して声を上げる重要性が広く認識されるようになり、一般市民の政治への参加意識は格段に高まった。

メディアもそこに加担した。反政府のデモや市民の声も積極的に取り上げられるようになり、大学生のデモやストライキも頻発し、それを受けて日本政府も市民の声に対応せざるを得ない局面が生じていた。

一市民として主体性を持つこと、声を上げて社会に参加することの重要性を、日本国民はまがりなりにも認識していた時代だったのだ。

ところが、高度経済成長期を経て日本社会が経済的に安定したことによって、いったんは盛り上がった政治活動は下火になっていく。学生の反乱に懲りた政府が、義務教育で国民の奴隷化政策を強化し、大人に反抗的な態度を取るよりも、いうことを聞いておとなしくしていたほうが人生は得をする、という考え方を植えつけたのだ。

なぜ政府は最低賃金の引き上げを渋るのか

結果、変わり者やはみ出し者は日本社会のメインストリームから外れる存在となり、お上のいうことを素直に聞く、おとなしい国民が日本の主流にすっぽりとハマる構図になった。

自公政権が今のように好き勝手するようになったのも、突き詰めれば日本の国民を見くびっているからに他ならない。

従順にいうことを聞くのだから、最低賃金を上げる必要はないし、給料だって増やさなくていい。どうせ国内の景気はよくならないのだから、国民を安い労働力としてこき使って製品を作り、それを外国に向けて売ればいいだろう。インバウンド消費のほうがずっと日本経済に貢献しているのだから、外国人観光客がもっと消費しやすい仕組みづくりを整備するほうが先決だ。

その結果、今の日本国民は実質的には奴隷と同じ程度の扱いを受けている。日本の政治家たちは、「うちの従順なヤギたちが飼い主に逆らうはずがない」と腹のなかでほくそ笑んでいるだろう。

ポリコレと承認欲求

では、抑圧された日本人の鬱屈(うっくつ)はどこに向かっているのか。さまざまな形でその弊害は現れているが、わかりやすい例を挙げるならやはりバーチャル空間である。現実ではなく、SNSの世界に鬱屈の多くを撒き散らしているのだ。

匿名で参加できるSNSは、表に出て目立つことを嫌がる日本人の国民性と非常に相性がよい。最近ではポリティカル・コレクトネス（政治的正しさ）、いわゆるポリコレの議論が世界的に盛んだが、社会をよい方向へ変えようと心から願ってSNSを使っている人はごく少数派だろう。

顔が見えないSNSの場で、時流に合った正論っぽい発言をして、自分という人間の価値が上がったかのように錯覚して気持ちよくなる。積極的にSNSを活用している人ほど、根底にあるモチベーションは承認欲求であるケースが少なくない。

自分の人生を賭けてこの発言をする、誰になにをいわれようとも信念を貫いてみせる、と腹を括ってSNSを使っている人は滅多にいない。芸能人の不倫スキャンダルを取り上げて正義や倫理を説き、企業の不祥事をバッシングしては溜飲を下げる。「こういえば今はウケるだろう」「主流の意見はこっちだな」「こいつはバッシングすればビビるはずだ」と情勢を姑息に見ながら、匿名アカウントで自分の「正しさ」を証明したつもりになってストレス発散をする。人生に手応えを持てず、不満を燻らせている人間ほど、そういう風にSNSと付き合っている。

ちなみに、そうした人間は「こいつをバッシングしてもあまり堪えなさそうだな」と判断するとサッと引いていく。迂闊に謝ると余計に調子に乗って攻撃してくるため、そういう相手の言葉を真に受けて低姿勢で謝罪するのは逆効果である。

一時期、フランスではヴィーガンによる食肉店や農場への襲撃事件が多発したが、日本人がSNSに向ける情熱はそれとは真逆のベクトルであろう。

「障害」を「障がい」と表記する無意味さに価値を見出すな

言葉狩りに熱狂するのも日本人によく見られる傾向のひとつである。

前後の文脈や背景を無視し、言葉だけを切り離して「これは差別だ！」と糾弾しても、現実の差別はなくならない。これもまた自分の承認欲求を満たすための代償行為として機能しているのだろう。差別は言葉のなかにあるわけではない。「障害」の「害」をひらがなに変えたところで、その背後に隠されている差別感情を隠蔽するだけだ。

私が大学院生だった頃、片足が不自由な先輩がいた。「俺はびっこなので、ちょっと器械を動かすのを手伝ってくれるかな」「ああ、いいですよ」なんて会話をした覚えがある。足が不自由なことはそれ以上でも以下でもない単なる事実であり、彼の人格にも研究内容にも何ら影響を及ぼすものではなかった。

だが今は、「びっこ」という言葉だけが社会から削ぎ落とされ、差別感情だけ残っているのだから余計に始末が悪い。本当に変えるべきは社会システムであって、過敏な言葉狩りをする前にやることはあるはずだ。

魚や虫の名前を狩ってどうする

言葉狩りが及ぶ範囲は人間社会だけではない。2000年代前半には、虫や魚の世界ですら同じような「言葉狩り」が横行したことをご存じだろうか。

かつて、イザリウオという魚の名前があった。「躄」とは、足が動かない人を指す言葉であり、泳ぎが下手で前足のような胸びれを使って海底を歩く姿からの連想で、「イザリウオ（躄魚）」と名付けられたのだと思う。

だが、それは差別用語であるという声がどこからか上がったのだろう。2007年には「カエルアンコウ」に標準和名が変更となった。しかし、2000年代には「いざる」という言葉自体がもはや一般にはほとんど通じない死語であって、そもそも差別的な意味合いで「イザリウオ」が使われていたわけでもない。実際の差別とはまったくの無関係である。

にもかかわらず、「これは差別語だから改名すべき」と言い出し、自分の主張を通して承認欲求を満たした人がいたのだろう。まったくもってバカバカしいの一語に尽きる。余談だが和名は学名と違って自然言語であり、正しい和名というのは存在しないことを付記しておく。

ちなみに、今後同じような運命をたどるかもしれない昆虫に、「メクラチビゴミムシ」がいる。盲人を表した言葉である「メクラ（盲）」と「チビ」、さらには「ゴミ」を組み合わせた名前なのだが、イザリウオがまずいのであればメクラチビゴミムシなんてもっとまずいだろう。

ただし、メクラチビゴミムシに関しては、この分類群の権威で昆虫学者の国立科学博物館名誉研究員の上野俊一（故人）が改名に強固に反対したため、現在もこの名前で図鑑に載っている。「名前を変えると混乱を招く。そもそも実際の差別と言葉は無関係」と立派に主張された結果ではあるが、まったくもって同感である。魚や虫の名前を変えたところで、差別意識は減りも増えもしない。

言葉の多様性がない社会は息苦しい

一方で、魚や昆虫の世界にすら言葉狩りが及んだことからもわかるように、日本語でも近年は言葉の多様性がどんどん失われている。書籍であれば著者が責任を持つからと主張すれば通ることもあるが、新聞なんてあれもダメ、これもダメのNGワードだらけである。

言葉だけが行き交うSNSの世界は、新聞以上に先鋭化しているだろう。表立って迂闊なことをいえばバッシングされる。それならば口をつぐんでいよう。だがストレスがたまるから匿名アカウントで本音を吐き出すか。そんな鬱屈を抱える日本人が増えているのも、回りまわって言葉狩りがもたらした弊害だろう。

ちなみに、この先、自動翻訳機能が進歩していくと、便利になる一方で言葉はさらに平坦で均一的なものになっていく可能性が高い。標準的な言葉以外は多言語に翻訳するのが難しいという制約がかかれば、言い回しやイントネーションの違いもどんどん削ぎ落とされ、統制されていく。「箸」と「橋」のように微妙な同音異義語がたくさんある日本語は、おそらくダイレクトに影響を受けるだろう。

私の家のアレクサは、すでにちょっとおかしな言葉を普通に話してくる。先日、「アレクサ、今日の天気は？」と聞くと、「一時雨が降るでしょう」という答えが返ったきたのだが、「一時、雨が降る」ではなく、どう聞いても「一時雨が、降る」というイントネーションでアレクサは普通に話すのである。自動的翻訳が一般化していけば、こうした事例はさらに増えていくだろう。微妙なニュアンスは嫌われ、定型的な表現や文章ばかりが飛び交うようになれば、言葉やイントネーションの多様性は失われていく。

だが人間は言葉によって思考する生き物である。感性は母語に刷り込まれているものであるから、言葉がやせ細ってしまうと感性もすり減ってくるに違いない。個々人の感性がすり減っていくと、文化も貧相になり、均一に家畜化された人間がどんどん増えてくるだろう。

抑圧されている人間ほどバッシングする対象を欲しがる

人間によって家畜化された動物と、自らを家畜化してきた人間。

同じく「家畜化」された両者の違いを考えた時に、人間の不幸は高度な認知能力を持っている点にある。

動物は自己を認識しないし、種としての長い歴史に思いを馳せることも、隣の農場と自分の農場ではどちらがより幸せかと考えることもない。同種の個体間ではコミュニケーションができるのが普通であるが、人間のように言語を使って複雑な抽象的思考をすることはできない。他者と自らを比較しないので、人間に家畜化されて暮らすことになっても劣等感を抱くようなこともない。

だが、人間はそうはならない。

隣の家と自分の家ではどちらが資産を持っているか、世間は自分をどう評価しているのか、他国と自国では国際的な地位が高いのはどちらか。人間は社会的ヒエラルキーにおける自分の地位を認識できるので、抑圧状態にある人は何とかそこから逃れたいと願うだろう。

だが、状況を変えることは容易ではない。未来に希望も持てない。そうであるからこそ、他者をバッシングすることで、間接的に自分の心を守ろうとする自己防衛本能が働いてしまうのだろう。常日頃から世間に不満を持っている人ほど、バッシングしやすい相手を探してストレスを解消していることは容易に想像できる。

ポジティブなニュースよりもネガティブなキャンペーンのほうがあっという間に燃

え盛るのは、常に潜在下でバッシングできる対象を探している人が多いことの証左であろう。家畜の主人には到底なれないが、誰かを引きずり下ろして自分と同じような家畜を増やすことに情熱を傾けることはできる。

こうしたシャーデンフロイデ（他者の不幸から得る喜び）は、高度な認知能力を持ちながら精神の自己家畜化が進んだ人間特有の現象で、自分が上昇しない限りは、ここから抜け出すのは難しい。

逆らっても勝てないとわかれば親中派は今後増える

一部の日本の政治家や国民の間で、反中国、反韓国の動きが沸騰しているのも同じ構図だろう。

だが、「中国人はマナーがなっていない」「中国はモラルに欠けた好ましくない国だ」と血気盛んにバッシングしている人々ほど、なにかで潮目が変われば一夜にして「中国万歳！」と軍門に下る展開は目に見えている。

過去の対米感情の変化を見てもそれは明らかであろう。中国が「逆らっても勝てない相手」だとわかれば、アメリカ従属路線に中国従属路線が加わるだけだ。抑圧されている人間はとにかく今、なにかを叩きたいという感情が先行しているだけであって、理由は後付けである。

インボイス制度やマイナンバーカードのように、誰がどう見てもおかしな政策がなんだかんだで通ってしまうのも日本の弱いところだ。インボイス制度なんて無駄に煩雑な手間しか生まれないことが目に見えているにもかかわらず、「もう決まったことなんだから仕方がない」と唯々諾々と受け入れている。このシステムで儲かるのは政府とつるんでいる企業だけで個人事業主は丸損である。

2025年に開催予定の大阪・関西万博の会場建設費は当初予算の1250億円から1850億円に600億円も上振れしているが、赤字だろうとなんだろうと国民がツケを払えばいいだろうと上の人間たちは高を括っているに違いない。

「自分は万博に興味がないから関係ない」と思っている人もいるだろう。だが、国、自治体、経済界が3分の1ずつ負担をするということだから、国と自治体の赤字は税金で補塡されるということでもある。結局、東京オリンピックと同様に儲かる大企業だけがおいしい上澄みをもらい、巡り巡って国民がツケを払うシステムなのだ。

南海トラフ巨大地震が起きた時、日本は変わるのか

解剖学者の養老孟司と精神科医の名越康文(なこしやすふみ)による共著『ニホンという病』(日刊現代)では、養老が南海トラフ巨大地震が起きたあとの日本がどうなるかを具体的に憂えているくだりが非常に興味深い。

日本は明治維新、太平洋戦争の敗戦、という2度の大きな転換期のあとで、現在は3度目の大きな転換期、南海トラフの巨大地震を目前に控えている時であると養老はいう。

「南海トラフ」とは、静岡県の駿河湾(するがわん)から九州の日向灘(ひゅうがなだ)にかけての海底に沈んでいるプレート境界のことを指す。南海トラフの各所ではマグニチュード8~9クラスの巨大地震が100年から150年ほどの周期で繰り返し発生してきた。

政府の地震調査委員会によると、マグニチュード8~9の巨大地震が今後30年以内に発生する確率は70パーセントから80パーセントと極めて高い数字である。いずれ必

ず起きる大地震であると考えていい。

地震学の権威である尾池和夫(おいけかずお)元京大総長は、著書『２０３８年南海トラフの巨大地震』（マニュアルハウス）で、次の南海トラフ巨大地震は２０３８年頃に起きると具体的に予測している。

国土交通省が想定した最悪のケースによると、死者・行方不明者数は30都道府県で約32万人。この数字はいまだ生々しい傷跡の記憶が残る東日本大震災の約17倍の数字である。

人命被害に加えて、その後の経済損失も尋常ではない。高速道路や新幹線が分断され、工業地帯を直撃すれば経済被害は約２２０兆円ともいわれている。紛れもなく日本史上最大級の国難になるだろう。

では、現実に地震が起きたあと、日本はどうなるのか？　復興の金をどこから調達できるのか？　そもそも復興できるのか？　日本経済が元の水準まで戻ることはもう二度とないのでは？

同書の対談でも語られているが、現実的に考えた時にそこで援助できるほどの資金力を持つ国はアメリカか中国くらいだろう。

そこから中国の資本が一気に流れ込み、形式上は独立国であっても、実質は日本が中国の完全なる属国になるシナリオも十分にありうるだろう。養老は「南海トラフ巨大地震が起きないと日本は変わらない」と主張しているが、敗戦後にマッカーサーが来日した時も抵抗しなかった日本人が、国難で混乱するさなかに乗り込んでくる中国人に抵抗する気概があるとは私には到底思えない。敗戦の頃よりも日本の自己家畜化が悪化していることを考えれば、なおさらそうだろう。

広大すぎる多民族国家・中国

ついでに目覚ましい発展を続ける巨大国家にして、南海トラフ巨大地震が起きた時には日本が頼らざるを得ないであろう中国にも目を向けてみよう。

小さな島国の日本とは似て非なる歴史をたどってはいるものの、民衆が起こした革命が成功した例がない、という共通点をじつは持っている。

第3章で中国における「天」の概念は、日本の「お天道様」のような漠然とした概念ではなく、人を超越した上の存在、一神教でいう神に近いものだと述べた。だが、「天の意思によって交代する」との大義名分は、いずれの時代も上位の階級同士の抗争のお題目であり、民衆（農民）が反乱を起こした例はあるが、成功した例はない。

　漢字の国であることから漢民族国家というイメージが強い中国だが、じつは純粋な漢民族による王朝は、漢・宋・明と中華4000年の歴史から見ると意外と少ない。

　広大な領土を持つ国であるがゆえに、契丹・女真・モンゴル・満洲などの非漢民族の王朝のほうが、長く多様に栄えた時期が多い。中華圏最後の皇帝であり映画『ラストエンペラー』でその名が世界に知られた愛新覚羅溥儀の清帝国も満洲族の国家であった。

　中国は広大な領土に多様な民族と言語が混在する多民族国家であり、それゆえに日本よりも格段に民衆の管理が難しい国であることは間違いない。国の末端まで掌握することが困難であろうことは容易に予測できる。

　中国共産党による一党独裁体制、かつ社会主義国家という中国のあり方は、民主主義を土台とするアメリカを含めた西洋から見れば極端な統治スタイルに思える。だが、巨大な大陸面積と過酷な自然風土を考えれば、それくらい強権的に振る舞わなければ広大な領土を管理・統治することは不可能だ。事実、中国の歴代王朝の長い歴史のなかで民主的な国家はこれまで一度も誕生しなかったし、今後もそうなる可能性は極めて低いだろう。

同様に広大な領土を持つ大国ロシアの今の政治体制も、中国と通じるところがある。広大な領土は民族や自然資源に多様性をもたらすが、統治を効率的に行なうためには往々にして独裁的な中央集権国家であるほうがコントロールするのに都合がいいのだ。ただし、中国もロシアも民族ごとに分離・独立して、いくつかの国家に分かれてしまえば話は別だ。かつてソ連（ロシア）はその道をたどり始めたが、現在のプーチン政権は独裁国家に逆戻りしている。

州ごとに法律が異なるアメリカ

同じ大国でも対照的に民主主義を発展させてきたアメリカは、中国やロシアとは真逆の統治スタイルを選んだ。

50の州がそれぞれ独自の憲法を有している連邦制国家のアメリカでは、州は強大な権限を有しており、連邦政府は、国防、外交、州間の商取引、国家財政や国家税制以外の権限は基本的に有していない。日本はピラミッドの頂点が国であり、その下の地方自治体は国家の管理下にあるという政治体制である。

対してアメリカは、各州の独立性が非常に高いのが特徴である。連邦が州を設置したのではなく、州が自律的に作った統治体が連邦政府なのである。法人の所得税の引き下げなどの税制改革から人工中絶手術を認めるか否か、大麻を娯楽の手段として合法とするかまで、さまざまなことが各州の権限に委ねられている。

アメリカがロシア、カナダに次ぐ世界3位の国土面積を持っていること、さまざまな人種の人々が移民として集まった多民族の国であること、そして建国以来ずっと「自由と平等」の信念を掲げてきた歴史を考えれば、自然な成り行きかもしれない。

1776年に採択されたアメリカ独立宣言の冒頭に「すべての人間は生まれながらにして平等であり、その創造主によって、生命、自由、および幸福の追求を含む不可侵の権利を与えられている」とある以上、中央集権国家として強権を発動するのはあらゆる意味で難しかったのだろう。

独立心と多様性の欠如が日本の致命傷になる

集団そのものが独立心を持っているかのようなアメリカとは対照的に、東アジアの国々、とりわけ日本は集団としての自立心が育ちづらい条件が揃っている。北は北海道から南は沖縄まで、同一の法律の下に囲い込まれ、「ルールを守り、和を大切に仲良くしましょう」と学校教育で教える日本は、統治者からすれば管理しやすい国であることは間違いない。

高度経済成長期であればそうした工場労働者向きの国民性がうまくマッチしたのだが、いつまでも同じやり方は通用しない。ここに来て独立心と多様性の欠如から生じた諸問題が、日本の国力を衰退させていることは明らかだ。

なにかを変えることは苦手、新しいことを始めて失敗するのは嫌だ、集団のなかで目立ちたくないし恥もかきたくない。こうした日本人の集団心理は社会システムを硬直化させ、めまぐるしいスピードで変化する環境への不適応という形で浮き彫りになっている。

そのことを早々に悟った優秀な人材ほど海外に出て行ってしまうため、国力はますます衰退するという悪循環をたどっている。日本企業で世界的なイノベーションが起きないのも当然だ。iPhoneやChatGPTのようなイノベーティブな製品は、既存の概念を打ち破って世に出るものである。1000人の平凡な工場労働者が集まって真面目に働くよりも、たった一人の異才が存分に活躍できる会社のほうが発展性があるのが今の時代なのだから。さまざまな能力がすべて平均的ないかにも日本的な人材は、近い将来淘汰されていくだろう。

ゲノム編集で国民を家畜化できるディストピア

ヒトの自己家畜化に影響を及ぼす可能性がある技術として、AIと並んで考えられるのはゲノム編集技術だろう。2020年にノーベル化学賞を受賞したゲノム編集技術（CRISPR/Cas9）は、ハンチントン病（舞踏病）のような遺伝性の難治性脳疾患や、アルツハイマー型認知症といった長期にわたり病勢が進行するような脳疾患に対する新たな治療法として実用化される可能性がある。

この遺伝子が原因であると絞り込めてしまえば、あとはその遺伝子を切ってしまえばいいのだから原理的には意外とシンプルなのである。実際には37兆もの細胞がある人間の遺伝子をすべて変えることは不可能ではあるが、分裂前の受精卵の状態であれば細胞は1個しかないのだから難しくないだろう。受精卵で編集してしまえば、あとは同じものが体細胞分裂していくのだからゲノム編集は非常に汎用性が高い技術なのである。

将来的には受精卵を編集して遺伝疾患を発病前に治療してしまい、子宮に戻してしまう方法がスタンダードになるかもしれない。

だが、もしも独裁政権下でこのゲノム編集技術が悪用されてしまったら、トップの連中が従順な国民を次々に製造することも理論上は可能だ。野生のキツネを人為選択して掛け合わせ、家畜化を進行させたよりも速いスピードで、従順な家畜的感性を持った人間が生まれる未来も決してありえないわけではないだろう。

髪や目の色、顔のパーツなどの外見、知能までも、好ましい性質を持たされて生まれる人間が増えてくるかもしれない。ネガティブな形質の治療に用いるか、ポジティブとされる方向性に用いるか。人間の生殖にゲノム編集技術を用いることの倫理的正当性は、いまだ議論の真っ最中であるので、現段階ではどちらに転ぶかはまだ何ともいえない。

ただし、遺伝子の発現パターンを完璧に予測するのは不可能なので、１００パーセントの望んだ形での子どもが生まれるとは限らない。抜群に頭のいい賢い子を期待してゲノム編集をしたのに、社会にまったく適応できない変人が生まれることも十分にありえる。

まあしかし、ポジティブなゲノム編集が常態になって多様性が減少するのも面白くない未来だな。

個人の努力で自己家畜化を止められるのか

さて、ここまであらゆる角度からヒト、そして日本人の自己家畜化について考察してきたが、そろそろまとめに入ろう。

今後、AIのような技術が進歩するにつれて、あらゆる国で物質的な自己家畜化が進んでいくことはまず間違いない。仕事も、食事も、買い物も、家から一歩も外に出ずにできる現実はすでに到来している。

そうした社会への抵抗として、自給自足で畑を作るところから始める人は増加していくかもしれない。それでも生活のすべてを自分たちだけの力で賄うことは、現代人にはもう不可能である。

そうすると、個人が抗える領域は結局、どこまで精神的な自己家畜化を回避できるか、という一点になる。

小さなところから考えていくのであれば、地味な結論になるが自分の頭で物事を考え、自分で意思決定する習慣を身につける。これが、精神的な自己家畜化への最初の抵抗の一歩になるはずだ。

SNSをちょっと覗けば、自分と価値観が近く、自分より賢い識者が、自分がぼんやりと考えていたことを明確に言語化しているかもしれない。そこに安易に乗っかって「私もこう思っていた」と理解した気になるのは楽だが、通り過ぎてしまうと自分のなかには何も残らない。せいぜい「なにかをわかったような気になった」というおぼろげな感覚くらいだろう。尊敬する人の言説でも頭から信じないで、まずは批判的な視点を持つことが極めて重要である。

与えられる娯楽には注意せよ

娯楽との向き合い方にも、ある程度は自覚的であったほうがいいだろう。現代は深く考えないでできる娯楽がいくらでもあるし、その気になれば延々と時間を潰してくれる。ほんのちょっぴりの娯楽や自由を与えて楽しませ、家畜化されていることを当人に気づかせないのは、独裁政権が国民をコントロールする際の常套(じょうとう)手段でもある。

飼い主に与えられる餌をただただ食(は)むのではなく、自分の心が動くもの、楽しいと思えることはなにか、人より苦労せずにできる得意なものはどんな領域かを、主体的に探しに行き、考え続けるのが結局のところは最も有効な自己家畜化への抵抗だろう。

社会に出たあとは、不得意なことは他人に任せてしまっていい。不得意を得意にしようと時間をかけるのではなく、自分の得意なことに注力し、そこで才能を花開かせたほうが、トータルで見た時に人生の充実感が増すだろうし、時間の使い方としても正しい。

才能も得意もないと思い込んでいるのであれば

才能の話題になると、自己肯定感が低い日本人は「でも自分には才能がないから」と殻（から）にこもってしまう傾向があるようだ。才能なんてしょせんは思い込みのようなものである。本当に才能があるのか、ないのかなんて誰にも証明はできないし、あったからといってその才能だけで成功するとは限らないだろう。

若い世代ほど才能の有無を気にしたり、なにかを諦めたりする言い訳に才能を使ってしまいがちだが、それは結局のところ他者との比較や世間の評価で誰かと自分を比べているからなのだ。

そうであれば、才能の有無なんてあやふやなものはいったん無視していい。それは脇において、まずは自分は何が楽しいか、熱中できるかを純粋に探し出すところから始めてみてはどうだろうか。それが地獄から抜け出す最短ルートになるかもしれない。

それでも才能にとらわれてしまうのであれば、いっそ才能のある人を応援してみる手もある。才能は、あればあったで苦労もあるし、才能があったからといって幸福が約束されるわけでもない。才能のある人を応援するなかで、そうした側面も実感できるようになるはずだ。

才能ある人間だけが、世界を回しているわけではない。あまり才能がなくともなんとか世間を渡っている人のほうが多数派だろう。自分の能力の範囲で、楽しいことができれば、それで充分ではないか。

運が悪いと思い込むと嫉妬が生まれる

才能と同じくらいにあやふやな要素に運がある。「親ガチャ」なんて言葉も、人生には運のいい悪いがあるという発想から生まれたものだろう。

私の経験則として、「自分は運が悪い」と頑なに思い込んでいる人ほど、過度に嫉妬心が強いように思う。「自分は運が悪い」は、「あいつは運がいい」の裏返しだ。そうすると、理不尽な現実への恨みのようなものが生まれやすくなる。

才能の有無がその人の人生すべてを決定づけないように、運がいいか悪いかも長い人生を恣意的に切り取って見た時の主観でしかない。運がいい人を見かけて嫉妬が湧き上がりそうになったら、「お、あいつは今回運がよかったんだな。じゃあ自分にもそのうち運が回ってくるだろう」と思ってのんきに待っているくらいがちょうどいい。

政治を注視し、システムを変える行動を起こす

声を上げて制度を見直すことも、精神的な自己家畜化からの脱却になるはずだ。同調圧力は個人が向き合う問題であると同時に、社会システムの問題でもある。個人の努力も必要だが、結局はシステムを変える方向で動いたほうが成果は出る。

政治に無関心な国民が増えていくことは、権力者にとって都合がいいことしかない。今のように自公政権が長く続いている状態は、国民が自分たちで自分たちの首を

ゆっくりと締めているようなものだ。

日本では選挙に立候補できる年齢が参院議員と都道府県知事は30歳以上、その他は25歳以上と公職選挙法で定められているが、この立候補年齢の引き下げを巡る動きが最近活発化している。18歳以上であれば選挙権があるのに、立候補する側に回る被選挙権を若い世代が持てない状態は確かに不均衡だろう。結果的に20代、30代の若い世代の代表が政治の場に不在になっているため、若年層を支援する政策が通りづらいのも日本の政治の問題だ。

個人、メディア、システムを変えていくために

被選挙権の引き下げ以外にも、探せばいろんな方法があるだろう。アファーマティブ・アクション（積極的格差是正措置）のように、議員を年代別の人口比に従って割り振ってしまえば、自然に議員の年代はバラける。高齢世代の男性政治家ばかりに偏っている現状なのだから、これくらい柔軟に変えていかないと政治が現実に追いつかない。「政治的な発言はタブーらしい」という思い込みを若い世代から外していかなけ

れば、日本社会はいつまで経っても硬直化したシステムのままだ。

そういう意味では、海外の芸能人のように、日本の芸能人も積極的にメディアでもっと政治の話をしていくべきだ。もちろん、そのためにはメディアも政権や大企業に忖度(そんたく)する今の姿勢を変えていかなければならない。とはいっても、それは現時点でのメディアの生き残り戦略としては最適なので、そのシステムを変えない限りは難しい。日本人の精神的な自己家畜化がこのまま進んでいけば、日本の凋落(ちょうらく)は止まらないし、どこぞの属国になる未来も十分にありうる。なによりも、個々人がそれぞれに幸福を追求できない人生を送るのは不幸だ。

日本の国力の凋落が止まらない本当の理由

最後に、多少繰り返しになるが、日本の国力（科学技術力や経済力）の凋落が止まらない本当の理由はなにかというちょっと怖いが喫緊の話を述べて執筆の責を塞ぎたい。つい最近まで、ネトウヨ諸君は、口を開けば「日本はすごい」という大合唱をしていたが、日本がすごいのは国力の凋落の速度だけだ。少しデータを挙げてみると、日本の経済が輝いていた１９８９年暮れの世界の株式会社の株式時価総額のトップはＮＴＴで、以下日本興業銀行、住友銀行、富士銀行、第一勧銀と世界のトップ５社は日本の企業だった。ちなみにトヨタ自動車は11位でトップ50社のうち32社は日本の企業であった。それが２０２３年３月時点ではトヨタ自動車が39位で、それ以外の日本企業は１００位以内に１社も入っていない。上位にはアメリカの企業が並び、１位からアップル、マイクロソフト、サウジアラビアンオイル、アルファベット、アマゾン、と続き、トップ10社のうち９社はアメリカの企業である。

他にもＧＤＰはずっと世界２位だったが、２０１０年に中国に抜かれ３位に転落して、今は中国の３分の１に過ぎない。今年はドイツに抜かれるのではないかといわれている。日本の人口は１億２０００万人、ドイツの人口は８４００万人であることを考えれば、すごい凋落ぶりである。国民の生活に直接関係する１人あたりのＧＤＰを見てみると２０２２年の統計では日本は世界の31位で、33位の台湾、34位の韓国とほぼ変わらない。イタリアが30位、フランス24位、イギリス23位、ドイツ21位、カナダ13位、オーストラリア10位、アメリカ７位。１位はルクセンブルクで日本の３・８倍である。台湾や韓国に抜かれるのも時間の問題だ。

2022年度の平均年収は韓国（20位）に抜かれて21位、大卒の平均初任給は20万6000円、韓国は約30万円で、実質賃金は1997年を100として2016年のデータで89・7、ドイツ、アメリカ、イギリス、フランスなどは軒並み115以上になっているので、日本は一人負け状態だ。直接的な理由は、本文で繰り返し述べたように、横並びでルール至上主義の学校教育、上の命令に逆らわない自己家畜化、優秀な人材をスポイルするシステムの結果であるが、日本を統治する権力側の人間にとっても、このようなやり方では日本の国力が下がるのはよくわかっていたはずだ。

それにもかかわらず、日本の国力の凋落が止まらないのは、権力にとって日本の凋落はある時点（おそらくはっきり自覚し始めたのは第二次安倍内閣の時）から、じつは望むところになったのだとしか考えられない。国民が貧乏になってきたので、企業の製品を日本人に売って儲けようとするモデルを徐々に放棄して、なるべく安く日本人の労働者を働かせて、その成果（製品やサービス）を外国に売って儲けようと考えたのだ。そのためには国内の賃金を最低限に抑えて、儲けを最大限にして、その儲けを国民に還元しないで、権力と大企業とその取り巻きだけで分配するシステムを構築したのだ。国力が上がらないほうが、自分たちの短期的な利益にとっては好都合なので、意図的に国力を下げる政策をとり続けてきたわけだ。

そう考えれば、赤字必定なオリンピックや万博を無理やり推進した（する）理由や、消費税を目一杯上げて、国民を反抗する余裕がないほどに貧乏にして搾取する理由もよくわかる。自公政権が長年かけて行なってきた国民の奴隷化政策が功を奏して、精神的自己家畜化が進んだ国民は、唯々諾々と政権のいいなりになっている。

転換点が来るとすれば、ＡＩが限りなく進歩して製品を作ったりサービスを提供したりするコストパフォーマンスが、労働者を雇うよりはるかに高くなった時だ。権力の本音としては、日本人は消費者としてもはや重要ではないので、労働者として役に立たなければ、いなくてもよい存在になる。はたしてそうなって飢えに直面した精神的自己家畜化の進んだ日本人は、ベーシック・インカムを要求して政権に圧力をかけることができるだろうか、それとも、歴史上初めての市民革命を起こして、政権をひっくり返すだろうか。それとも、権力はそれまでに憲法を改悪して北朝鮮のような独裁国家を作って、国民を弾圧するシステムを作っているのだろうか。私は生きていないので、結末を見ることができないのは残念だけれど、若い人は多少でも精神的自己家畜化から逃れて、上手にそして幸福に生き延びてほしいと思う。

幸運を祈る。

切りとり線

★読者のみなさまにお願い

この本をお読みになって、どんな感想をお持ちでしょうか。祥伝社のホームページから書評をお送りいただけたら、ありがたく存じます。今後の企画の参考にさせていただきます。また、次ページの原稿用紙を切り取り、左記まで郵送していただいても結構です。

お寄せいただいた書評は、ご了解のうえ新聞・雑誌などを通じて紹介させていただくこともあります。採用の場合は、特製図書カードを差しあげます。

なお、ご記入いただいたお名前、ご住所、ご連絡先等は、書評紹介の事前了解、謝礼のお届け以外の目的で利用することはありません。また、それらの情報を6カ月を越えて保管することもありません。

〒101-8701（お手紙は郵便番号だけで届きます）
祥伝社　新書編集部
電話03（3265）2310
祥伝社ブックレビュー　www.shodensha.co.jp/bookreview

★本書の購買動機（媒体名、あるいは○をつけてください）

＿＿＿＿新聞の広告を見て	＿＿＿＿誌の広告を見て	＿＿＿＿の書評を見て	＿＿＿＿の Web を見て	書店で見かけて	知人のすすめで

★100字書評……自己家畜化する日本人

名前

住所

年齢

職業

池田清彦　いけだ・きよひこ

1947年、東京都生まれ。生物学者、評論家、理学博士。東京教育大学理学部生物学科卒業、東京都立大学大学院理学研究科博士課程生物学専攻単位取得満期退学。山梨大学教育人間科学部教授、早稲田大学国際教養学部教授を経て、山梨大学名誉教授、早稲田大学名誉教授、TAKAO 599 MUSEUM 名誉館長。『構造主義進化論入門』（講談社学術文庫）、『環境問題のウソ』（ちくまプリマー新書）、『「現代優生学」の脅威』（インターナショナル新書）、『本当のことを言ってはいけない』（角川新書）、『SDGsの大嘘』『孤独という病』（ともに宝島社新書）など著書多数。メルマガ「池田清彦のやせ我慢日記」、VoicyとYouTubeで「池田清彦の森羅万象」を配信中。

自己家畜化する日本人（じこかちくかするにほんじん）

池田清彦（いけだきよひこ）

2023年10月10日　初版第1刷発行

発行者……………辻 浩明
発行所……………祥伝社しょうでんしゃ
〒101-8701　東京都千代田区神田神保町3-3
電話　03(3265)2081(販売部)
電話　03(3265)2310(編集部)
電話　03(3265)3622(業務部)
ホームページ　www.shodensha.co.jp

装丁者……………盛川和洋
印刷所……………萩原印刷
製本所……………ナショナル製本

Printed in Japan　ISBN978-4-396-11688-0　C0236

〈祥伝社新書〉
現代を読む

628
コロナと無責任な人たち
コロナ禍であらわになった、知性なき国家の惨状を白日の下に晒す
作家 適菜 収

640
100冊の自己啓発書より「徒然草」を読め！
『徒然草』は過激な思想書だった。「見識」が身につく新しい読み方
適菜 収

656
ニッポンを蝕む全体主義
全体主義に対峙すべき「保守」が根付かなかった日本の危機的状況
適菜 収

682
安倍晋三の正体
日本を破壊した男の３１８８日。その虚像を剥がす！
適菜 収

676
どうする財源 貨幣論で読み解く税と財政の仕組み
豊富な具体例と最新の研究成果で、貨幣・財源の仕組みをわかりやすく解説
評論家 中野剛志